FTK와 EnCase를 활용한
디지털 포렌식 실무

"본 교재는 2021년 과학기술정보통신부 및 정보통신기획평가원의
SW중심대학사업의 연구결과로 수행되었음"(2019-0-01817)

Forensic Tool Kit

FTK Imager

FTK와 EnCase를 활용한 디지털 포렌식 실무

0100
1001
0110
1101
1110
01 0
10 0
1

김현호
이훈재
이영실
강영진
김기환

지음

YD 연두에디션
Edition

저자 약력

김현호 교수

동서대학교 소프트웨어융합대학 초빙교수로 재직 중이며, 현재 소프트웨어에 관련하여 강의를 진행하고 있으며, 그 밖에도 소프트웨어 중심대학사업단에서 소프트웨어와 관련된 교육 및 연구를 진행하고 있다.

이훈재 교수

동서대학교 정보보안학과 교수(소프트웨어융합대학)로 재직중이며, 정보보안/포렌식/시스코네트워킹 과목을 강의하고 있다. 대표적인 경력으로는 국방과학연구소 선임연구원, 경운대학교 조교수, 동서대학교 교수이며, 주요 관심연구주제는 암호설계 및 공격 분석, 포렌식 그리고 AI보안기술분야이다.

이영실 교수

동서대학교 International College 컴퓨터공학과 영어트랙 책임교수로 재직 중이며 외국인 유학생을 대상으로 컴퓨터공학 관련 다양한 전공 강의를 진행하고 있다. 또한 주 연구 주제인 정보보안을 비롯한 컴퓨터공학 전 분야의 다양한 연구를 활발히 수행하고 있다.

강영진 교수

동서대학교 소프트웨어융합대학 초빙교수로 재직 중이며, 현재 소프트웨어 관련 강의를 진행하고 있으며, 그 밖에도 정보보안 및 인공지능 연구를 진행하고 있다.

김기환 교수

동서대학교 International College 초빙교수로 재직 중이며, 현재 컴퓨터공학 관련 강의를 진행하고 있으며, 그 밖에도 정보보안 및 인공지능 연구를 진행하고 있다.

FTK와 EnCase를 활용한
디지털 포렌식 실무

발행일 2021년 6월 30일 초판 1쇄
지은이 김현호 · 이훈재 · 이영실 · 강영진 · 김기환
펴낸이 심규남
기 획 염의섭 · 이정선
표 지 김보배 | **본 문** 이경은
펴낸곳 연두에디션
주 소 경기도 고양시 일산동구 동국로 32 동국대학교 산학협력관 608호
등 록 2015년 12월 15일 (제2015-000242호)
전 화 031-932-9896
팩 스 070-8220-5528
ISBN 979-11-88831-76-0 (93000)
정 가 30,000원

이 책에 대한 의견이나 잘못된 내용에 대한 수정 정보는 연두에디션 홈페이지나 이메일로 알려주십시오.
독자님의 의견을 충분히 반영하도록 늘 노력하겠습니다.
홈페이지 www.yundu.co.kr

※ 잘못된 도서는 구입처에서 바꾸어 드립니다.

PREFACE

4차 산업이 시작되면서 오늘날 정보통신기술(ICT ： Information & Communication Technology)은 더 많은 발전을 하고 있다. 약 10년 전쯤만 하더라도 디지털 포렌식이라는 단어는 매우 생소한 단어 중 하나였지만, 지금의 디지털 포렌식은 한 번쯤은 들어봤을 만한 단어가 되었다. 현재 국내에서는 대부분 1인 1PC(Desktop, Laptop 등) 또는 1대 이상의 스마트폰 또는 태블릿을 기본으로 사용하고 있으며, 이러한 디지털기기들에서 저장되고 있는 데이터와 유 · 무선 네트워크와 같은 통신망을 통해 전송되고 있는 데이터의 양도 계속해서 늘어나고 있다. 이와 같은 이유로 인해 정보화 사회에서의 디지털정보는 상황에 따라 매우 중요한 단서가 될 수 있으므로 디지털기기가 있는 모든 곳에서는 하나의 디지털정보라도 매우 중요시하고 있다.

디지털 포렌식은 현재 경찰, 검찰, 기업 등 민간분야에서 많이 도입하여 디지털 포렌식을 활용하고 있으며, 이 외에도 계속해서 디지털 포렌식을 활용하는 분야는 늘어날 것이다. 이와 같은 기관은 사이버 범죄 및 기술 유출로 인해 활용되는 경우가 대부분이지만, 그 밖에도 디지털 포렌식을 활용하는 용도로는 시스템분석을 위한 "로그수집", 삭제 및 데이터 변조된 데이터 복구를 위한 "데이터 복구", 데이터의 가용성을 증대하기 위한 "데이터 추출"을 위해 활용하기도 한다. 그러나 디지털 포렌식을 통해 증거의 효력을 갖게 하기 위해서는 전문인력 또한 중요하다. 즉 전문가가 수집한 증거물만 디지털 증거물로 인정받을 수 있으므로 이에 따라 전문인력 양성에도 힘써야 할 것이다.

전문인력 양성을 위해 노력해야 할 부분을 자세히 나열해보면 여러 가지 노력해야 할 부분은 많지만, 그중 기본적으로 다루어야 할 부분은 디지털 포렌식 절차 및 이론적인 부분과 디지털 포렌식 전문 툴을 상황에 따라 능숙하게 다룰 수 있는 능력이라고 생각한다. 따라서 이 책에서는 실제 디지털 포렌식을 할 때 대표적으로 많이 사용되고 있는 전문 툴인 FTK와 EnCase 툴을 능숙하게 다룰 수 있는 스킬과 이러한 전문 툴을 이용하여 실무에서의 활용방법을 다루고자 한다.

모든 독자분이 책을 통해 쉽게 디지털 포렌식의 개념을 이해하고, 책에서 다루는 시나리오 및 실습으로 전문 툴을 능숙하게 다룰 수 있는 스킬을 습득할 수 있을 것이라 생각한다.

저자

강의 계획표

주	해당 장	해당 내용	
1	디지털 포렌식이란?	• 디지털 포렌식 • 분석대상에 따른 분류	• 디지털 포렌식 유형 • 디지털 포렌식 도구(Tool)
2	디지털 포렌식이란?	• FTK	• EnCase
3	FTK Imager 활용	• FTK Imager • Image 생성	• FTK Imager에 드라이브 로드 • 연습문제
4	FTK(Forensic Tool Kit)	• AccessData Forensic Toolkit(FTK) 소개 • FTK 설치하기 • FTK 인터페이스 • 복합 파일 마운트	• 새로운 사건 조사하기 • 사건 처리 옵션
5	FTK(Forensic Tool Kit)	• 데이터 카빙 • 칼럼 설정 • Index 검색 • 정규표현식 검색 • 연습문제	• FTK 기본 사용법 • 북마크 생성과 관리 • 라이브 검색 • 필터 작업
6	FTK 실습	• 메모리 포렌식(Memory Forensic) • PRTK(Password Recovery Tool Kit) • 레지스트리 뷰어	• 연습문제
7	디스크 포렌식	• 파티션이란? • MBR의 구조 • 파티션의 사용 장점	• MBR • 파티션 정보의 관리 • 파티션과 볼륨의 차이점
8	중간고사		
9	디스크 포렌식	• BIOS와 부트 시퀀스 • DOS 파티션의 구조 • NTFS 파일 시스템 구조 파악	• 파티션 종류 • FAT32 파일시스템 구조 파악 • 연습문제
10	파일 흔적 분석	• 삭제된 파일을 FTK Imager에서 확인하기 • 연습문제	
11	FTK, EnCase를 이용한 파일 및 파티션 복원	• FTK File 복원	• Encase File 복원
12	FTK, EnCase를 이용한 파일 및 파티션 복원	• FAT32 파티션 복원 – NTFS 파티션 복원 • 연습문제	
13	시나리오로 알아보는 디지털 포렌식	• 시나리오 기반 문제 풀기	
14	시나리오로 알아보는 디지털 포렌식	• 시나리오 기반 문제 풀기	
15	기말고사		

CONTENTS

CHAPTER **4** **FTK 실습**   063

CHAPTER **5** **디스크 포렌식**   087

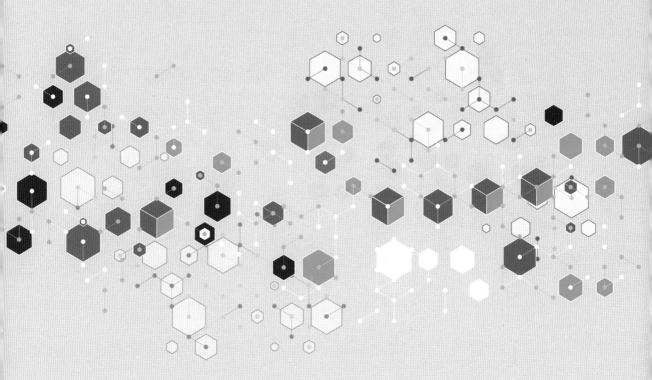

CHAPTER

1

디지털 포렌식이란?

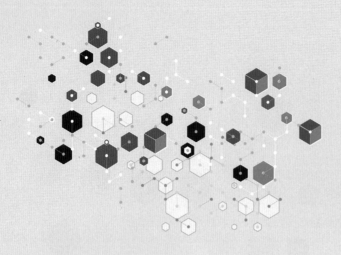

1.1 디지털 포렌식(Digital Forensic)

디지털 포렌식은 디지털 수사를 의미하며, 디지털(Digital)+포렌식(Forensic)의 합성어이다. 즉, 각종 디지털정보를 분석해서 단서를 찾는 수사기법을 말한다. 디지털 포렌식을 위한 대표적인 디지털 장치로는 데스크톱(PC), 서버, 노트북, 스마트폰, 태블릿 등 디지털 포렌식 수사대상에 포함되며, 그 밖에도 저장장치(하드디스크, SSD, USB 등), IoT 장치, CCTV 등 모든 디지털 기기가 수사대상에 포함된다.

계속해서 발전하는 ICT(Information and Communication Technologies)로 인해 사이버 범죄 또한 계속해서 늘어나고 있으며, 발생하는 사이버 범죄의 종류도 다양해짐과 동시에 점차 지능화되고 있다. 이러한 사이버 범죄를 수사하기 위해 현재 검찰이나 경찰에서는 사이버 수사팀이 전담하여 사이버 수사를 하고 있으며, 또한 일반 기업이나 금융회사와 같은 곳에서도 디지털 포렌식의 중요성이 입증되어 현재 많은 민간 분야에서도 디지털 포렌식을 점차 도입하고 있다.

디지털 포렌식을 통해 수집된 디지털 증거자료는 디지털 포렌식 전문가가 수집했다 하더라도 전부 증거능력이 다 있는 것은 아니다. 즉, 수집한 디지털 증거자료가 법정에서 인정받기 위해서 가장 중요한 것은 원본 데이터가 법정에 제출될 때까지 변조되지 않아야 한다는 것을 입증해야 하는데 이것을 무결성(Integrity)이라고 한다. 따라서 무결성을 지키기 위해서는 반드시 디지털 포렌식 전문가가 디지털 포렌식 절차를 지켜가며 디지털 증거물을 수집하는 것이 중요하다. 따라서 디지털 포렌식은 반드시 전문가를 통해 절차적으로 이루어져야 하며 크게 진행 단계는 6단계로 진행된다.

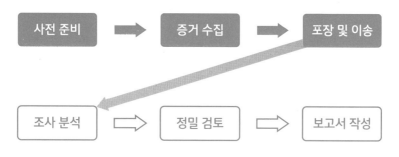

그림 1.1 디지털 포렌식 진행 절차(6단계)

그림 1.1에서처럼 최초 사전 준비단계를 시작으로 증거 수집, 포장 및 이송, 조사 분석, 정밀 검토, 보고서 작성 단계 순서로 진행해야 하며 단계별 자세한 설명은 다음과 같다.

첫 번째 단계인 사전 준비단계에서는 사건이 일어나기 전에 준비하는 단계이며, 포렌식 도구 준비, 검증, 필요에 따라 교육, 연구 개발이 이에 해당한다. 증거 수집단계에서는 수집 대상 파악, 압수 대상 선정, 증거 목록 작성, 디지털 증거 수집과 같은 디지털 데이터를 수집하는 단계이며, 디지털 데이터가 수집이 완료되는 순간까지 데이터가 변조되지 않도록 하는 것이 중요하다.

포장 및 이송 단계에서는 증거 수집단계에서 수집한 디지털 데이터를 포장하여 분석하는 곳까지 이송하는 과정이며, 이송과정 중 외부로부터 변조되지 않도록 하는 것이 중요하다. 조사 분석 단계는 실제 수집된 데이터를 분석하는 과정이다. 정밀 검토 단계에서는 분석되기까지의 각 단계의 검증을 비롯하여 분석 결과가 정확한지 검토하는 단계이다. 마지막으로 보고서 작성 단계에서는 정밀 검토를 마친 결과를 바탕으로 분석된 결과를 법정에 제출하기 위해 객관적인 보고서를 작성하는 단계이다.

1.2 디지털 포렌식 유형

디지털 포렌식 유형은 분석 목적에 따라 사고 대응 포렌식과 정보 추출 포렌식으로 분류할 수 있다.

- 사고 대응 포렌식(Incident Response Forensics) : 해킹 등의 침해사고 시스템 로그, 백도어 등을 조사하여 침입자의 신원, 피해 내용, 침입 경로 등을 파악하기 위한 포렌식이다.

- 정보 추출 포렌식(Information Extraction Forensics) : 범행 입증에 필요한 증거를 얻기 위해서 디지털 저장매체 기록되어 있는 데이터를 복구하거나 검색하여 찾아내는 것을 말하며, 범행을 입증할 수 있는 증거(데이터)를 분석하는 것을 목적으로 하는 포렌식이다.

1.3 분석대상에 따른 분류

디지털 포렌식 분류는 분석대상에 따라서 여러 가지 분류가 있다. 표 1.1은 대표적으로 많이 분류되는 포렌식이다.

표 1.1 포렌식 분류에 따른 설명

포렌식 분류	설명
디스크 포렌식	물리적인 저장장치 하드디스크, SSD, USB 등에서 증거를 수집하고 분석하는 분야이다.
시스템 포렌식	운영체제(윈도우, 리눅스 등), 각종 응용프로그램, 프로세스, 로그를 분석하는 분야이다.
네트워크 포렌식	네트워크를 통해서 전송되는 데이터나 암호 등을 분석하거나 네트워크 형태를 조사하고 증거를 수집하거나 단서를 찾아내는 분야이다.
인터넷 포렌식	인터넷으로 서비스되는 모든 것을 기본으로 다양한 프로토콜 분석을 통해 사용했던 증거를 수집하는 분야이다.
모바일 포렌식	스마트폰, 태블릿, 디지털카메라 등 휴대용 기기를 대상으로 필요한 정보를 수집하여 분석하는 분야이다.
데이터베이스 포렌식	데이터베이스로부터 데이트를 추출하고 분석하여 증거를 획득하는 분야이다.
암호 포렌식	암호가 설정된 파일(예: hwp, doc 등)이나 시스템의 암호를 크랙하는 분야이다.
침해사고 대응 포렌식	해킹, 악성코드, 이메일 공격(폭탄 메일, 악성코드 첨부), 서비스 거부 공격(DoS, DDoS) 등의 다양한 악행위와 같은 방법으로 정보통신망 또는 이와 관련된 정보 시스템을 공격하는 행위를 하여 발생하는 것을 말한다.
사물인터넷(IoT) 포렌식	최근 디지털 포렌식은 PC 및 서버 등 전통적인 기기와 같은 저장매체의 범위를 넘어서 스마트폰, 태블릿과 같은 휴대용 스마트 단말기는 물론 자동차 시스템, 가정용 셋톱박스, 스마트TV, 스마트 워치와 같은 웨어러블 기기 등 사물인터넷 기기를 대상으로 그 범위가 빠르게 확대될 필요성이 요구되고 있다.

1.4 디지털 포렌식 도구(Tool)

디지털 포렌식 도구는 디지털 포렌식 수사를 위해 개발된 특수목적용 도구를 말한다. "1.3 분석대상에 따른 분류"에서 알아봤던 포렌식 분류에 따라 포렌식 방법이 다르듯이 디지털 포렌식 도구도 현장 상황에 따라 사용하는 도구가 분류되어 있으며, 상황에 따라 적당한 도구를 선택하여 사용한다.

디지털 포렌식 도구는 통합된 도구, 모바일 포렌식, 데이터 복구, 라이브 포렌식, 이미징 도구, 메모리 포렌식, 타임라인 등 상황에 따라 사용할 수 있도록 도구들이 분류되어 있고, 여기에서 상업적인 목적으로 사용가능한 여부에 따라서 유료 도구와 무료 도구로 나눌 수 있다. 이렇게 디지털 포렌식 도구는 다양하게 있지만, 대표적으로 많이 사용하는 도구는 OpenText 사의 "EnCase"와 Access Data 사의 "FTK"와 같이 디지털 포렌식 수사에서 많이 사용하는 도구를 통합한 도구를 선호하고 있다. 하지만 이와 같은 도구는 상용도구이므로 개인이 사용하기에는 어려움이 있으며, 이 중 "EnCase Imager"와 "FTK Imager"는 무료로 사용할 수 있다.

그림 1.2 EnCase와 FTK

일반적으로 디지털 포렌식 도구를 이용하여 분석하기 위해서는 포렌식 도구도 상황에 따라 적절한 도구를 선택하여 사용하는 것도 중요하지만, 수집 및 분석하는 수사관의 대응하는 능력과 빠른 분석을 위해서 분석하는 컴퓨터의 성능도 좋아야 한다. 그리고 디지털 포렌식 도구는 시스템 리소스를 적게 사용하는 도구도 있지만, 통합적인 도구(EnCase, FTK)를 포함하여 기능이 많은 도구를 원활히 사용하기 위해서는 최소 CPU는 쿼드코어 이상 메모리는 16GB 이상의 시스템 사양을 요구하고 있으며, 이와 같은 시스템 리소스를 많이 사용하는 각종 포렌식 도구는 제공하는 측에서도 원활한 도구 활용을 위해 고성능 컴퓨터사용을 권장하고 있다.

그 밖의 이유로 고성능 컴퓨터를 사용해야 하는 다른 이유는 컴퓨터의 발달로 인해 많은 사용자 컴퓨터들이 고성능, 고용량 및 다양한 기기들이 있기 때문이다. 즉 성능도 성능이지만 수집 및 분석해야 하는 기기들도 다양해지는 동시에 각종 기기마다 저장되는 데이터의 크기가 너무 크기 때문이다. 여기서 대상의 컴퓨터 하드디스크에 저장된 데이터를 수집하는 관점에서 볼 때 중요한 부분은 수집하는 대상의 디스크 크기만큼 복제본이나 사본을 만들 때 같은 크기이나 그 이상의 크기의 디스크를 사용해야 한다는 것이다. 예를 들어 수집하려는 대상의 컴퓨터에 500GB 하드디스크가 설치되어 있다면 디스크복제 및 이미징을 했을 때, 결과물의 크기가 원본 디스크의 크기와 동일한 500GB이기 때문에 사본의 디스크 크기 또한 최소 500GB 이상 크기의 하드디스크를 사용해서 사본을 만들어야 한다.

1.5 FTK

FTK는 Forensic Tool Kit의 약자이며 Access Data 사에서 개발한 디지털 포렌식 도구이다. FTK에서 제공하는 도구를 크게 보면 FTK-I(FTK Imager), RV(Registry Viewer),

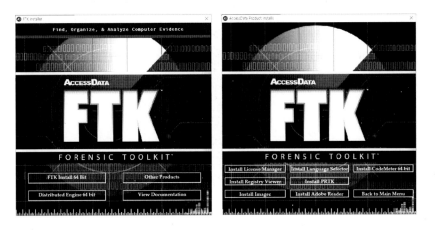

그림 1.3   FTK 설치화면(FTK에서 제공하는 포렌식 도구 종류)

PRTK(Password Recovery Tool Kit), DNA(Distributed Network Attack)로 나눠 볼 수 있다.

그림 1.3에서처럼 FTK 처음 설치 시 해당 화면에서 사용자가 원하는 포렌식 도구를 선택하여 설치할 수 있다. 앞에서도 언급하였듯이 FTK Imager만 무료로 제공하는 포렌식 도구이며, 이를 제외한 나머지 도구들은 유료로 구매한 후 인증용 동글(Security Dongle)을 통해 해당 포렌식 도구를 사용 제한 없이 사용할 수 있다. 즉 그림 1.3에서 CodeMeter와 License Manger 프로그램 설치 후 추가적인 인증(인증용 동글 연결)을 통해 기능 제한 없이 정상적인 포렌식 도구들을 사용할 수 있다.

표 1.2　FTK 시스템 요구사항

종류	권장 사항
CPU	최소 Quad Core(4 Core) 이상 CPU
RAM	6GB 이상(권장 12GB 이상)
Storage	HDD : 대상에 따라 비례한 크기나 그 이상 크기의 하드디스크
Security	Security Dongle

FTK 포렌식 도구를 원활하게 사용하기 위해서는 표 1.2에서처럼 최소 권장 사항을 충족해야 한다. 그리고 상황에 따라 분석하는 대상 시스템의 데이터가 크면 클수록 수집하는 데이터나 분석해야 하는 데이터 크기도 비례하므로 이때는 권장 사항보다 그 이상의 시스템이 구축되어 있으면 더 원활히 FTK 포렌식 도구를 운영할 수 있다.

1.6 EnCase

EnCase는 Guidance Software 사에서 개발한 포렌식 도구이며, 2017년 이후부터는 OpenText 사에서 Guidance Software 사를 인수함으로 인해 현재는 OpenText 사에서 프로그램을 제공하고 있다. EnCase는 기본적으로 쓰기 방지 기능을 지원하며, 별도의 큰 조작 없이 증거 수집을 할 수 있는 장점이 있지만, EnCase에서 제공하는 다양한 도구들의 기능을 다 사용하기 위해서 많은 숙련시간이 필요하다. 그리고 EnCase에서 생성되는 압축 파일인 ".E01"은 AES-256 방식으로 암호화가 가능하며, 무결성 검증을 위해 수집된 파일의 MD5와 SHA-1과 같은 해시를 지원한다. EnCase는 통합 포렌식 도구로써 쓰기 방지 기능, 레지스트리 분석, 이벤트 로그 분석, 파일 시그니처 분류, 그림 파일 해석, 압축 파일 해석, Hex View, 해시 정보, 키워드 검색, 시간 정보 해석, 보고서 출력 등 다양한 기능을 제공한다.

EnCase는 기본적으로 Windows 운영체제에서 사용 가능한 포렌식 도구이며, 다양한 도구와 많은 양의 데이터를 분석하기 위해 분석자의 컴퓨터는 고사양의 PC가 필요하다. 그리고 기능적인 부분에서는 업데이트나 확장 기능을 통해 추가적인 기능을 제공한다.

마지막으로 EnCase의 장점 중 하나인 리포트 기능은 분석자가 EnCase를 통해 증거 수집하고 분석한 후 결과를 리포트 해주는 기능이다. EnCase 프로그램 자체에서 제공하는 리포트 도구는 기본적으로 리포트 포맷도 깔끔하지만, 사용자의 설정에 따라 템플릿(Template)을 추가하거나 삭제할 수 있는 장점이 있다. 그리고 EnCase 리포트 도구는 분석자가 증거 수집을 통해 분석한 부분이 그대로 리포트에 연동되기 때문에 깔끔한 결과물을 기대할 수 있으며, 이를 활용하여 결과 보고서 및 증거 제출용으로도 이 활용하고 있다.

표 1.3   EnCase 시스템 요구사항

종류	권장 사항
CPU	최소 Dual Core, Quad Core 이상 권장
RAM	최소 4GB 이상(권장 16GB 이상)
Storage	HDD : 7200RPM 하드디스크(증거물 저장 및 백업용)
Security	Security Dongle
O/S	Windows(XP이상, 권장 10)

Q1. 디지털 포렌식 진행 절차를 설명하시오.

Q2. 분석대상에 따른 디지털 포렌식 분류를 나열하시오.

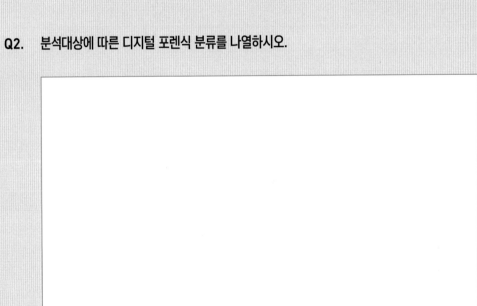

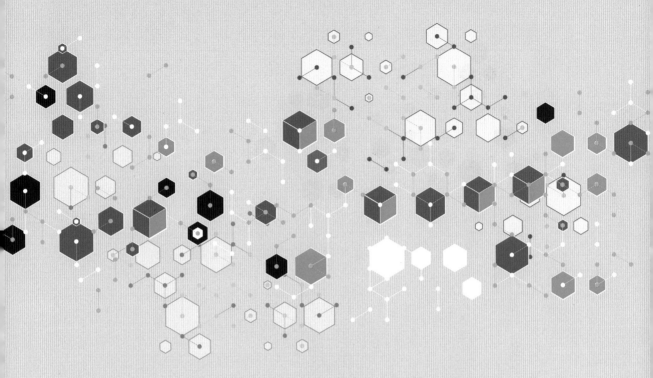

CHAPTER

2

FTK Imager 활용

2.1 FTK Imager

FTK Imager는 이미징 도구 중 하나이며, 원본 디스크와 같은 디지털 증거를 사본으로 만들기 위해 많이 사용되는 포렌식 도구 중 하나이다. FTK Imager는 Access Data 홈페이지에서 무료로 다운로드 받아 사용할 수 있으며, 비록 FTK 제품군 중 무료로 사용할 수 있는 포렌식 도구이긴 하지만 FTK Imager에서 제공하는 기능을 통해 파일들의 속성(데이터 삭제 여부와 같은 흔적)과 분석을 할 수 있다. 그밖에도 FTK Imager를 통해 할 수 있는 작업은 아래와 같다.

- 대표적으로 하드디스크 외 USB 메모리, 플로피 디스크, Zip 디스크, CD, DVD 등 모든 저장장치에 대한 이미지를 만들 수 있다.

- FTK Imager를 통해 만든 각 저장장치로부터의 이미지 파일을 불러와서 내부파일 정보 및 내용을 확인할 수 있다.

- Windows 탐색기와 비슷한 화면에서 읽기전용(Read Only) 모드를 활용하여 원본 드라이브에서 본 것과 똑같은 이미지를 확인할 수 있다.

- 이미지 파일 내부에 있는 파일이나 폴더를 내보내기 기능을 통해 파일 내보내기가 가능하다.

- 휴지통에서나 보기에는 삭제되었지만, 아직 데이터영역이 덮어지지 않았을 경우 파일을 확인할 수 있으며, 이와 동시에 복구도 가능하다.

- 무결성을 위한 해시함수 MD5(Message Digest 5)와 SHA-1(Secure Hash Algorithm) 중 하나를 사용하여 파일에 해시를 만들 수 있다.

FTK Imager에서 사용 가능한 이미지 확장자는 "Raw(dd), S91, E01, AFF, AD1, L01 등"이며, 이와 같은 이미지 파일 중 일부는 물리적으로 마운트하여 이미지 파일 내부를 확인할 수 있다. 이와 관련하여 FTK Imager에서 지원하는 확장자에 대한 자세한 내용은 아래 표 2.1과 같다.

표 2.1　FTK Imager에서 지원하는 확장자

확장자 종류	
생성 가능한 이미지	Raw (dd), SMART, E01, AFF, AD1, ISO/CUE
읽기 가능한 이미지	압축 이미지 지원 E01, S01, AFF, VHD, I01, 001, TAR, ZIP, AD1, VMDK, GHO, ISO, IMG, BIN, TAO, DAO, MDS, CDI, CCD, P01 CUE, NRG, CD, PDI, PXI, GCD, GI, CIF, VC4, C2D

생성 가능한 이미지에서 확인할 수 있듯이 많이 사용되고 있는 확장자 대부분을 지원하기 때문에 FTK Imager를 통해 이미징 작업을 많이 한다. 그리고 읽기 가능한 이미지의 경우 생성 가능한 이미지와 다르게 많은 확장자를 지원하고 있다. 그 중 많이 사용되고 있는 확장자는 "E01 Image (E01)", "SMART Images (S01)", "Advanced

표 2.2　FTK Imager 파일 시스템 지원

매체 및 종류	파일 시스템 및 종류	비고
DVD	UDF	-
CD	ISO/Joliet/CDFS	-
FAT	12 / 16 / 32	-
EXT	2 / 3 / 4	-
NTFS	NTFS Compressed	-
FS/HFS+/HFSX	Server Version	-
ReiserFS	-	Elive, Xandros, Linspire Gobolinux, and Yoper Linux
VXFS	-	VERITAS File System
AFF	-	Advanced Forensic Format

Forensic Format Image (AFF)", "Virtual Hard Disk (VHD)", "Tar Archive (TAR)", "Zip Archive (ZIP)", "AccessData Logical Image (AD1)", "Raw Cd/DVD Image (ISO, BIN, IMG, TAO, DAO)"와 같은 확장자가 많이 사용되고 있다. FTK Imager에서 지원하는 매체와 이에 따른 파일 시스템의 종류는 표 2.2에서 나열한 것처럼 다양한 매체와 파일 시스템을 지원한다.

표 2.2에서처럼 DVD나 CD에서 사용되고 있는 파일 시스템인 "UDF", "ISO", "Joliet", "CDFS"는 기본적으로 지원하면서, 이동식 디스크로 많이 사용하고 있는 USB, 하드디스크, SSD, SD카드와 같은 각종 디스크에서 많이 사용되고 있는 "FAT 12, 16, 32"와 대용량 디스크를 위한 파일 시스템인 "NTFS"도 완벽하게 지원한다. 그 밖에도 리눅스 운영체제에서 사용하는 "EXT 2, 3, 4"와 같은 저널링 파일 시스템도 완벽히 지원하고 있으며, 서버를 위한 파일 시스템 "FS", "HFS+", "HFSX"도 지원한다.

2.2 FTK Imager에 드라이브 로드

FTK Imager의 대표적인 기능은 물리적 또는 논리적인 드라이브에 있는 장치를 이미징하는 것이다. 여기에서 말하는 "이미징"이란 이해를 돕기 위한 예를 들면 일반적으로 압축 파일 형식에 많이 사용하고 있는 "ZIP" 파일과 같은 압축 파일을 예로 들 수 있다. 즉 여러 개의 파일을 하나의 압축 파일로 표현하는 것과 비슷하다. 이미징은 물리적 또는 논리적 드라이브에 저장되어있는 모든 영역의 데이터를 하나의 파일로 압축하는 작업이다.

그림을 통해 FTK Imager의 기본화면 및 인터페이스 그리고 기본적인 기능인 Evidence 추가하는 방법과 이미징 과정을 알아보도록 한다.

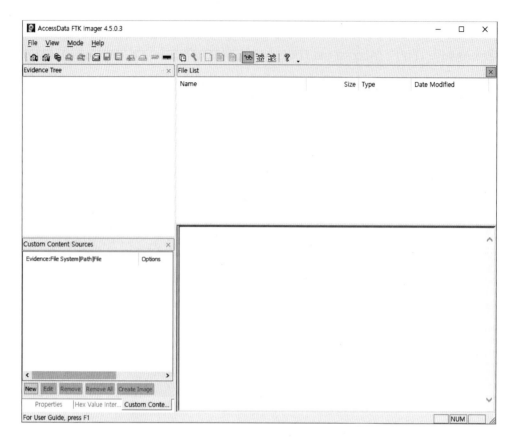

그림 2.1   FTK Imager 메인화면

그림 2.1은 FTK Imager를 처음 실행했을 시 보이는 메인화면이다. 메뉴의 구성은
"File", "View", "Mode", "Help" 총 4개의 메뉴로 간단하게 구성되어 있다. 또한 상단
의 아이콘들은 이미징 생성에 관련된 주요 실행 아이콘들이 배치되어 있으며, 이와 같
은 아이콘들은 메뉴에 다 포함된 기능이니 사용자에 따라서 메뉴나 아이콘 중 편리하
거나 익숙한 쪽으로 사용하는 것도 무방하다.

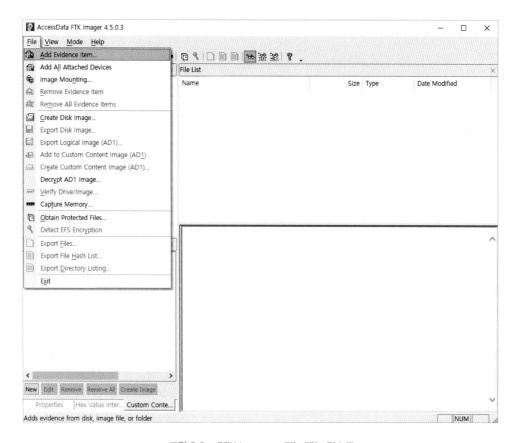

그림 2.2   FTK Imager - File 메뉴 리스트

그림 2.2는 "메뉴 → File"을 클릭하여 메뉴 리스트를 캡처한 그림이다. 현재 캡처한 그림 상황은 아직 이미지가 생성되지 않았기 때문에 활성화되어 있는 메뉴는 이미지를 생성하거나 메모리를 캡처하는 메뉴만 활성화가 되어 있는 것을 확인할 수 있다. 새로운 Evidence를 추가하기 위해서그림 2.2 화면에서 "Add Evidence item..."이라는 메뉴를 선택한다. 해당 메뉴를 실행하면 그림 2.3과 같은 화면이 나타난다.

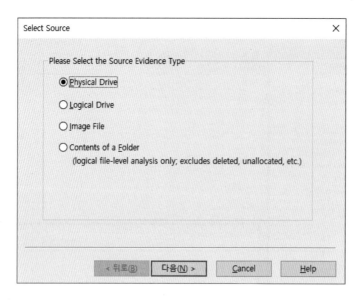

그림 2.3　Evidence 추가를 위한 선택 옵션

그림 2.3에서와 같이 Evidence 추가를 위해 선택할 수 있는 옵션은 "Physical Drive", "Logical Drive", "Image File", "Contents of a Folder"로 총 4가지가 있는 것을 확인할 수 있다. 이러한 옵션 중 가장 많이 사용되는 옵션은 첫 번째 옵션인 "Physical Dive"이며, 이 옵션은 현재 장치에서 물리적으로 연결된 드라이브를 Evidence에 추가하기 위해 사용하는 옵션이다. 그다음으로 많이 사용되는 옵션은 "Logical Drive"이며, 논리적 드라이브를 추가하기 위한 옵션이다.

가장 많이 사용하는 옵션 "Physical Drive"에 대해 좀 더 설명하자면 다음과 같이 설명할 수 있다. 그 전에 물리 드라이브에 대한 예를 통해 물리 드라이브에 대해 이해해보도록 한다. 물리 드라이브는 PC에서 메인보드와 직접적으로 연결된 드라이브를 말한다. 즉, 일반적으로 많이 사용하는 개인용 데스크탑 기준으로 SSD나 하드디스크를 주로 메인 디스크로 많이 사용한다. 이때 메인 디스크들은 기본적으로 설치하여 사용하는 운영체제인 윈도우(Windows OS)에서 기본적인 드라이브 명을 "C:"로 인식하는데 이렇게 하나의 물리 드라이브에 부여된 하나의 드라이브 명의 드라이브를 물리 드라이브라고 말한다. 이에 반해 논리 드라이브의 경우는 하나의 물리적 디스크의 용량을 분배하여 실제로는 하나의 물리적인 디스크만 설치되어 있지만 "C:"와 "D:" 두 개의 드라이브 명을 가질 수 있는데 이러한 드라이브를 논리 드라이브라고 말한다.

기본적인 사용방법을 설명하기 위해 가장 많이 사용하는 물리 드라이브 기준으로 설명하려고 한다. 아래 그림 2.4는 물리 드라이브를 선택한 다음 화면을 캡처한 그림이다.

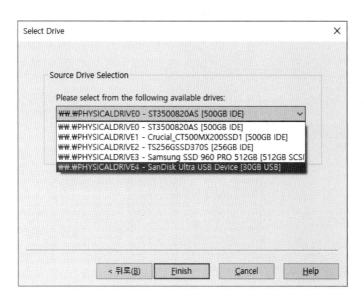

그림 2.4   물리 드라이브 리스트

그림 2.4에서와 같이 FTK Imager에서 데스크탑 내부 물리 드라이브 정보를 로드 하였을 때 물리 드라이브 5개가 검색되어 사용자에게 표시해주고 있다. 검색된 물리 드라이브는 "PHYSICALDRIVE 0"을 시작으로 "PHYSICALDRIVE X"와 같이 검색되는 물리 드라이브 숫자만큼 숫자가 카운팅 되어 표시되며, 표시된 화면에서 Evidence에 추가할 물리 드라이브를 선택하고 "Finish" 버튼을 클릭하여 작업을 계속해서 진행한다. 여기까지 문제없이 잘 진행하였다면 그림 2.5처럼 드라이브가 로드된 화면을 확인할 수 있다.

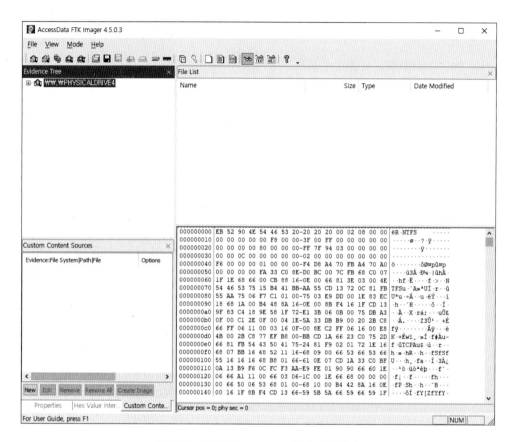

그림 2.5   PHYSICALDRIVE 4를 추가한 상태

2.3 Image 생성

이미징 생성을 위해 그림 2.6처럼 "File → Create Disk Image" 버튼을 클릭하여 이미징을 만들기 위한 메뉴를 실행한다.

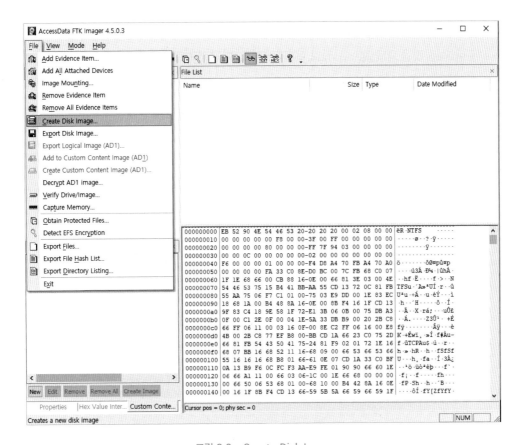

그림 2.6   Create Disk Image

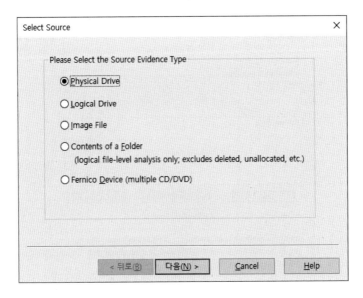

그림 2.7   Select Source(이미징을 생성하기 위한 옵션)

이미지를 생성할 때도 그림 2.7처럼 앞에서 설명한 Evidence 추가 시 나타났던 메뉴가 다시 나오는 것을 확인할 수 있다. 여기에서도 마찬가지로 "Physical Drive"를 선택하여 진행한다. 다음 단계에서도 마찬가지로 그림 2.8에서처럼 데스크탑에 연결된 물리 드라이브를 확인할 수 있으며, 현재 이미징하기 위한 장치는 USB메모리를 선택할 예정이므로 USB메모리를 이미징하기 위해 "PHYSICALDRIVE 4"를 선택한다.

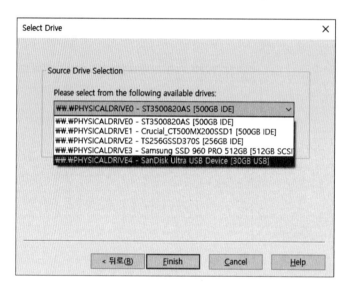

그림 2.8   물리 드라이브 선택화면

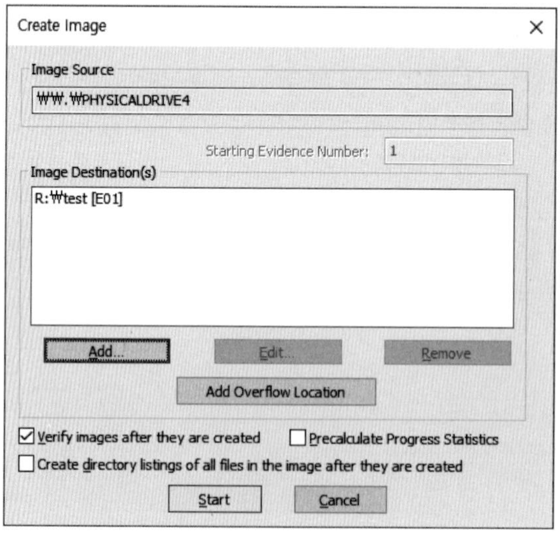

그림 2.9   추가적인 설정

마지막 추가적인 옵션을 설정하는 부분은 그림 2.9에서처럼 추가적인 옵션인 "Verify images after they are created"만 설정한다. 이 옵션을 선택했을 경우 이미지 생성 후 추가적으로 생성된 이미지 파일을 검증하며, 이를 통해 생성된 이미지가 정상적으로 잘 생성되었는지 확인할 수 있도록 하는 설정이므로 이미지 파일을 생성할 때 가능한 설정하고 작업을 진행하는 것을 추천한다.

"Precalculate Progress Statistics"는 얼마나 많은 시간과 저장 공간을 필요한지 계산해 주는 옵션이며, 마지막 옵션인 "Create directory listings of all files in the image after they are created" 옵션은 파일을 만든 후 이미지의 모든 파일에 대한 디렉토리 목록을 만들기 위한 옵션이다.

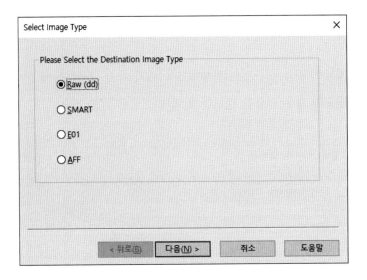

그림 2.10   이미지 타입 선택화면

그림 2.10은 이미지 타입을 선택하는 화면이다. FTK Imager에서는 총 4개의 이미지 타입을 지원하며, "E01" 타입의 이미징을 많이 사용한다. 여기에서 나오는 "E01"과 같은 이미지 타입은 "EnCase"에서 사용하는 이미지 타입으로 FTK Imager에서 "E01" 타입의 이미지를 생성하여 사용해도 문제없다. 그리고 다음 버튼을 누르게 되면 나오는 창은 그림 2.11과 같은 화면이 나타날 것이며, 여기에서는 이미지 파일 정보를 입력할 수 있다.

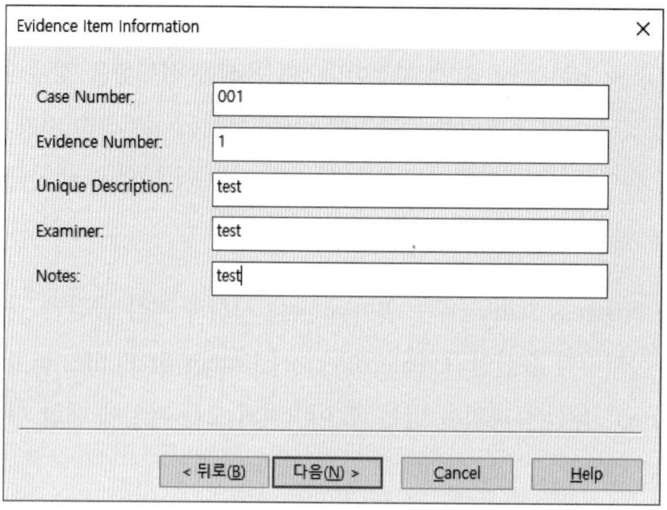

그림 2.11   이미지 파일 정보입력창

이미지 파일 정보의 경우 빈칸으로 진행해도 이미지 파일 생성하는데 전혀 상관없으며, 정보 입력이 필요할 경우 필요한 정보만 입력해도 상관없다.

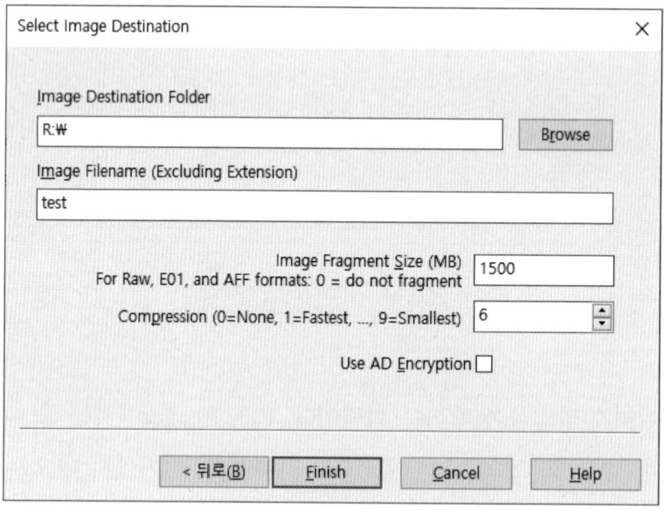

그림 2.12   이미지 파일 저장 관련 옵션

다음으로 설정해야 할 부분은 그림 2.13과 같이 이미지 파일을 생성 후 저장되는 경로에 대한 설정과 파일 압축 크기에 대한 설정이다. 여기에서 중요한 옵션은 "Image Fragment Size"와 "Compression"이다. 먼저 Image Fragment Size는 이미지 파일을 분할하여 생성하기 위한 옵션이다. 예를 들어 4GB 크기의 USB 메모리의 전체 영역을 이미징 할 때 이미지 파일 사이즈가 4GB이므로 별도의 숫자를 입력하지 않고 진행한다면 결과물은 이미지 파일 1개가 생성될 것이며, 파일 사이즈는 4GB일 것이다. 그러나 여기에 1000MB를 입력하여 이미지 파일을 생성한다면 이미지 파일은 1GB의 크기로 4개의 파일이 생성됨을 확인할 수 있다.

"Compression"은 이미지 압축률 높이거나 낮게 설정하는 옵션이다. 이 옵션의 경우 0부터 9까지 숫자를 입력하여 설정할 수 있다. 기본적으로 "0"을 입력하게 되면 압축을 하지 않고 일반적인 이미지 작업이 진행되며, "1"에 가까운 설정일수록 이미지 생성(진행 속도) 속도는 빠르지만, 이미지의 크기(압축률)는 낮아진다. 이와 반대로 "9"에 가까운 설정일수록 압축률이 높아지고 이로 인해 이미지를 생성하는데 시간이 더 증가한다. 즉, 이미지 생성속도가 빠르면 이미지 크기는 증가하고 반대로 이미지 생성속도가 늦어질수록 이미지 크기를 줄일 수 있다. 이를 참고하여 압축률을 설정할 때에는 상황에 따라 적절한 속도와 크기를 생각해서 설정하도록 한다.

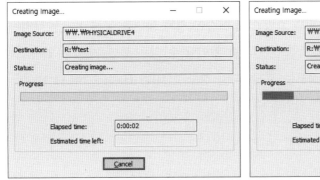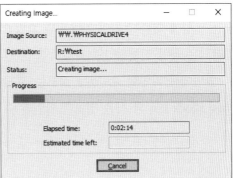

그림 2.13   이미지 생성 진행 화면

모든 설정을 완료하면 그림 2.13처럼 이미지 생성 진행 과정을 확인할 수 있는 화면이 나타난다. 이 화면에서는 현재 이미지 생성하는 정보를 확인할 수 있으며, 진행률, 진행시간, 남은 예상시간을 간략히 확인할 수 있다.

이미지 생성이 완료되면 그림 2.9에서 선택한 옵션에 따라 "Verifying" 단계로 이어서 진행한다. 만약 "Verify images after they are created" 옵션을 선택했다면 다음 화면은 그림 2.14와 같은 화면을 볼 수 있다.

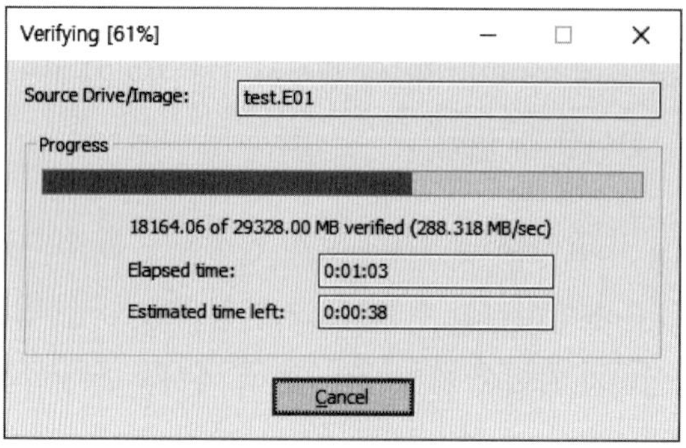

그림 2.14   이미지 검증 단계

이미지 검증단계는 생성한 이미지가 문제가 없는지 확인하는 단계이다. 이미지 검증단계 화면에서도 현재 상황을 확인할 수 있는 화면이 나타나며, 확인 파일, 진행률, 진행시간, 남은 예상시간관 같은 정보를 확인할 수 있다.

모든 파일에 대한 검증이 완료되면 그림 2.15과 같이 결과 화면을 통해 이미징 작업이 진행되는 동안 진행되었던 작업의 모든 결과를 확인할 수 있는 화면을 볼 수 있다. 결과 화면에서 확인할 수 있는 정보는 크게 "파일 정보", "MD5 Hash", "SHA1 Hash", "Bad Block List"와 같은 정보를 확인할 수 있다.

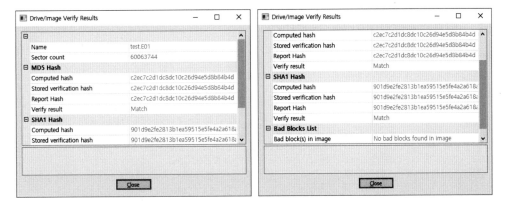

그림 2.15   이미징 파일 완료 후 결과 화면

이름	수정한 날짜	유형	크기
Downloads	2021-03-05 오전...	파일 폴더	
TEMP	2021-03-05 오전...	파일 폴더	
test.E01	2021-03-05 오후...	E01 파일	1,535,858KB
test.E01.txt	2021-03-05 오후...	텍스트 문서	2KB
test.E02	2021-03-05 오후...	E02 파일	1,094,277KB

그림 2.16   이미지 생성이 완료된 파일 정보

완료된 이미지 파일을 확인하기 위해 해당 경로 위치로 이동한 후 직접 확인할 수 있다. 확인하는 방법은 사용자가 지정한 경로에 이동하게 되면 확인할 수 있으며, 사용자가 설정한 파일이 그림 2.16과 같이 이미지 파일과 텍스트문서로 저장된 로그 파일이 있음을 확인할 수 있다.

연 습 문 제

Q1. FTK Imager 특징에 대해 설명하시오.

Q2. FTK Imager에서 사용 가능한 확장자를 나열하시오.

Q3. USB나 HDD와 같이 물리적인 디스크 전체를 이미징 하기 위해 FTK Imager에서 선택해야 할 옵션은 무엇인가?

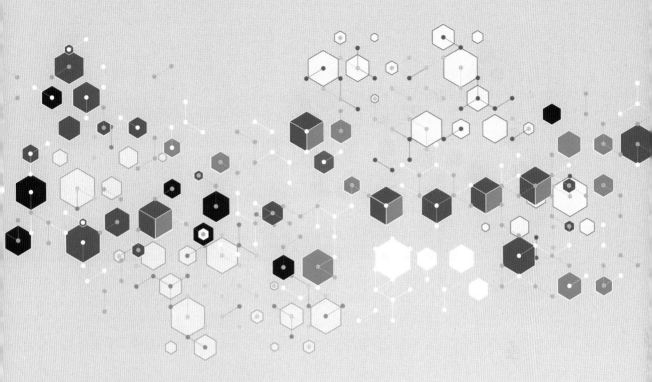

CHAPTER

3

FTK
(Forensic Tool Kit)

3.1 AccessData Forensic Toolkit(FTK) 소개

표 3.1   Forensic Tool Kit 소개

구분	설명
디지털 증거 조사 개요	• 디지털 증거 조사에는 획득, 분석, 프레젠테이션, 관리가 포함되어 있다.
디지털 증거 획득 정보 • 디지털 증거 유형 • 증거 획득	• 디지털 증거 유형 : 정적 증거, 라이브 증거, 원격 라이브 증거 등 • 증거 획득 : 하드웨어 획득 도구, 소프트웨어 획득 도구
디지털 증거 조사 정보	• 적절한 데이터를 사용할 수 있도록 의미 있는 데이터를 찾고 식별하는 프로세스.
사례 및 증거 관리 정보	• 사례와 증거 수집 작업을 할 때 백업을 해두고 진행하는 것이 중요하다. • Case 백업 시 동일한 크기의 디스크 드라이브가 필요하며, Case 관리 기능 중 일부는 보관, 보관 및 분리, 첨부 기능을 포함한다.
심사관으로 할 수 있는 작업 • 인덱싱 및 해싱 정보 • 알려진 파일 필터 데이터베이스 정보 • 증거 제시 정보 • 클라우드 기반 및 가상화 지원 정보	• 인덱싱 및 해싱 정보 : 케이스 생성 및 증거 가져오기 중에 데이터 색인을 생성하고 해시를 생성할 수 있는 옵션이 포함되어 있음. • 증거 제시 정보 : 보고서 마법사를 사용하여 보고서를 만들고 수정 가능.

3.2 FTK 설치하기

■ 데이터베이스 설정

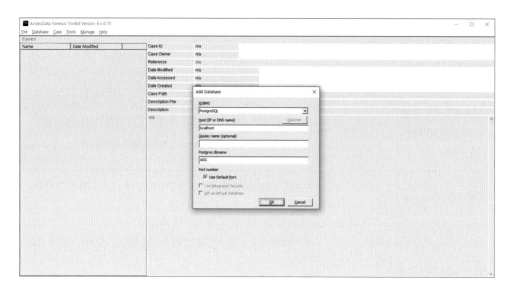

그림 3.1   FTK 설치 후 데이터베이스 추가

FTK를 처음 설치했을 경우 FTK 프로그램과 PostgreSql 데이터베이스가 동시에 설치되며, 모든 설치과정을 완료한 후 FTK를 최초로 실행하게 되면 그림 3.1과같이 데이터베이스를 추가하는 창을 볼 수 있다. 여기에서 "OK" 버튼을 누르면 그림 3.2처럼 PostgreSql 비밀번호를 입력을 요구하는 창이 뜨게 되는데 이때 최초 비밀번호는 사용자가 자유롭게 설정할 수 있으며, 여기서는 "AD@Password"로 설정하였다.

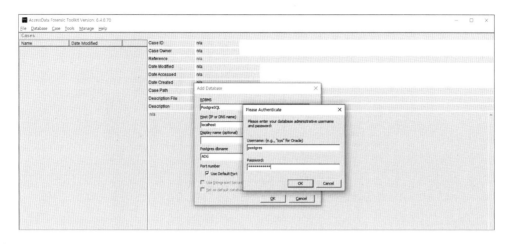

그림 3.2   PostgreSql 비밀번호 입력화면

이후 추가로 FTK를 이용하려는 사용자를 위해를 신규 사용자 정보를 추가하기 위해 두 가지 방법이 존재한다. 첫 번째 방법은 그림 3.3과 같이 "Trusted User" 옵션을 체크하여 FTK 실행 시 인증과정을 생략하는 것이다. 이 방법은 별도의 절차 없이 FTK를 빠르게 실행할 수 있는 장점을 가지고는 있지만, 컴퓨터를 사용하는 모든 사람이 접근할 수 있으므로 보안상 취약하다는 단점이 있다.

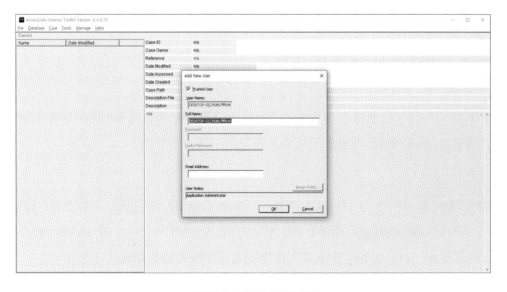

그림 3.3   인증된 사용자 추가

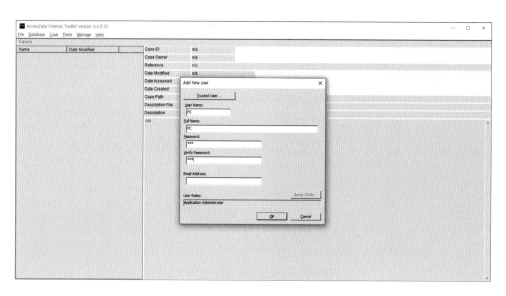

그림 3.4   사용자 계정 생성

두 번째 방법은 그림 3.4처럼 임의의 사용자를 추가하여 이름과 비밀번호를 통해 인증 과정을 추가하는 방법이 있다. 인증된 사용자만이 FTK를 사용할 수 있으므로 첫 번째 방법보다는 보안성이 좋지만, 이로 인해 인증과정이 추가되기 때문에 추가 인증 절차를 거쳐야 프로그램을 사용할 수 있다는 단점이 있다.

3.3   새로운 사건 조사 생성

FTK는 조사 대상을 생성 및 할당하여 관리하는 구조이며, 사건 정보는 데이터베이스에 저장된다. 신규 케이스 생성을 위해 다음과 같은 단계를 진행한다.

❶ "New"를 클릭한 후 나타나는 메뉴 중 "New Case"를 선택한다. 그림 3.5와 같이 "New Case Options" 대화상자를 연다. 그림 3.5에서 나타나는 각 요소의 정보는 표 3.2와 같다. 설정이 끝난 후 "OK"버튼을 클릭하여 다음 단계로 진행한다.

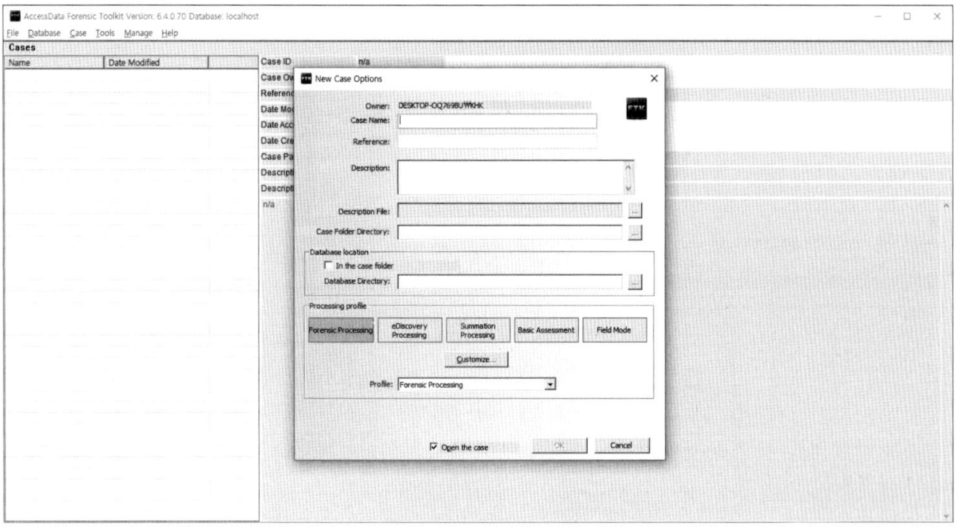

그림 3.5   새로운 사건 옵션 설정

표 3.2   새로운 사건 옵션 내용

항목	설명
Case Name	사건 이름을 입력한다.
Description	사건에 대한 내용을 입력한다.
Reference	참조할 내용을 입력한다.
Description File	사건 파일을 첨부한다.
Case Folder Directory	사건 파일이 저장될 경로를 설정한다.
Database Directory	사건 데이터베이스가 저장될 경로를 설정한다. 만약 사건과 동일한 폴더에 저장하기를 원하는 경우 In the case folder 체크박스를 활성화한다.
Processing Profile	절차 개요 또는 사용자 설정을 사용해 기본 사건 절차 옵션을 설정한다.
Open the case	생성된 사건을 즉시 열고 싶은 경우 선택한다.

❷ 이번 단계에서는 각 조사 대상에 사건을 할당할 것이며, 사건 정보는 데이터베이스에 저장된다. 가장 먼저 하는 작업은 그림 3.6처럼 증거를 추가하기 위한 작업이며, "Add"를 클릭하여 실행한다. 이와 관련된 자세한 설명은 표 3.3과 같다.

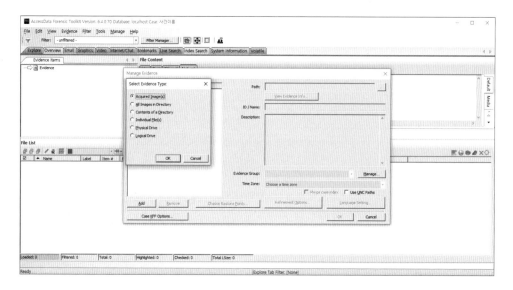

그림 3.6   신규 증거 추가 옵션

표 3.3   추가할 수 있는 증거 타입 종류

필드	내용
Acquired Image(s)	dd, E01, AD1 등의 이미지 파일을 추가
All Images in Directory	특정 폴더의 모든 이미지(운영체제)를 추가
Contents of a Directory	특정 경로의 모든 파일을 추가
Individual File(s)	한 개의 파일을 추가
Physical Drive	물리 장치 추가
Logical Drive	운영체제 C, D 드라이브와 같은 논리 볼륨이나 파티션 추가

사건에 대한 모든 증거를 추가했다면 다음으로 해야 할 작업은 표 3.4에 해당하는 사건이 발생한 Time Zone(표준 시간대), Refinement(증거 처리로 처리될 항목), 사건과 관련된 Language Settings(언어)를 설정한다. 이때, Time Zone을 잘못 설정하게 되면 증거의 MAC 시간 값이 변경되어 조사된 결과가 일치하지 않을 수 있으니 주의해야 한다. 대부분 증거의 Time Zone을 모르는 경우 FTK 레지스트리 뷰어를 통해 확인하여 설정해야 한다.

표 3.4 증거를 추가하고 설정하는 항목

항목	내용
Time Zone	증거가 수집된 지역의 정확한 표준 시간대를 선택
Refinement	증거로 처리될 항목을 선택
Language Settings	수집 증거에 사용된 알파벳과 일치하는 정확한 언어를 선택

3.4 FTK 인터페이스

FTK 인터페이스 구조는 아래 그림 3.7과 같다. FTK 인터페이스는 크게 5개로 구분할 수 있으며, 주요 인터페이스에 대한 자세한 정보는 표 3.4에서 설명하였다. FTK 인터페이스를 효과적으로 사용하기 위해서는 상황에 따라 어떠한 탭을 잘 이용하는가에 따라 좀 더 효과적으로 분석할 수 있다.

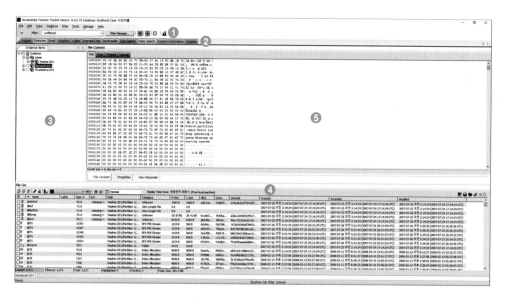

그림 3.7　FTK 주요 인터페이스

표 3.5　FTK 주요 인터페이스 설명

	항목	내용
1	메뉴/툴바 (Menus/Toolbar)	툴의 모든 기능과 설정에 접근 가능, 관련 증거를 찾기 위한 필터를 사용
2	탐색기(Explorer)	윈도우 탐색기처럼 디렉터리 구조로 증거를 보여주는 옵션. 증거는 물리 드라이브나 논리 드라이브로 볼 수 있다.
	개요(Overview)	검색 범위를 좁혀 특정 문서 타입을 찾거나 상태 또는 파일 확장자에 따라 항목을 검색
	이메일(Email)	이메일 및 첨부 파일을 확인
	그래픽(Graphics)	미리 보기 사진 그래픽으로 표현
	비디오(Video)	비디오 내용, 상세 정보 확인
	인터넷/채팅 (Internet/Chat)	인터넷 사용 흔적 확인

항목		내용
	북마크 (Bookmarks)	사건과 관련된 파일 그룹 생성, 조사 중 발견된 모든 정보를 북마크에 추가하면 보고서 생성 가능
	라이브 검색 (Live Search)	키워드를 사용하는 사건에서 정보 검색용으로 사용. 단 키워드를 전부 비교하기 때문에 늦은 작업 속도
	인덱스 검색 (Index Search)	처리 단계에서 데이터를 사전에 처리하여 빠른 작업 속도
	휘발성(Volatile)	메모리와 같은 휘발성 정보에서 수집된 데이터를 분석
3	증거 트리 뷰어	탭에서 선택한 항목에 따라 데이터 구조를 시각화
4	File List 뷰어	사건 파일 및 파일명, 파일 경로, 파일 형식 등의 다양한 속성과 같은 파일 관련 정보를 시각화
5	파일 내용 뷰어	File List 뷰어에서 선택한 파일의 내용을 시각화

3.5 사건 처리 옵션

FTK는 사건 조사를 효과적으로 처리할 수 있도록 그림 3.8에 보이는 화면에서처럼 자동화 분석 도구를 지원하고 있다. 사건 처리 옵션은 다양한 분석 도구들을 분석할 수 있도록 제공하는 서비스이며, 선택된 분석 항목 개수가 많을수록 결과 화면을 보기까지 다소 많은 시간이 소요된다. 즉, 이와 같은 옵션은 선택한 항목 수에 비례하여 소요 시간이 매우 길어질 수도 있으므로 상황에 맞게 필요한 옵션만 적절하게 선택하는 것이 중요하다.

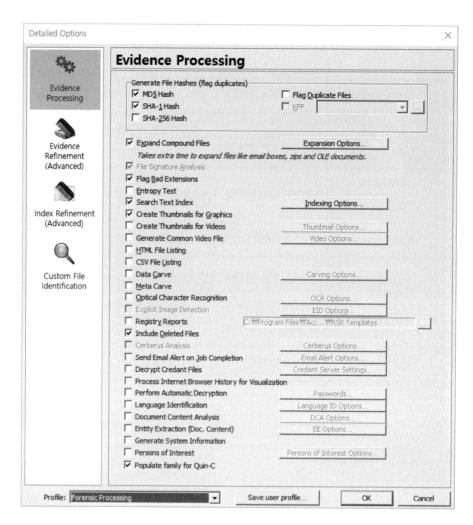

그림 3.8 사건 처리 옵션

표 3.6 사건 처리 옵션 설명

옵션	설명
MD5 Hash	
SHA-1 Hash	MD5, SHA-1, SHA-256 해시값 생성 (무결성 검증)
SHA-256 Hash	
Fuzzy Hash	유사한 데이터를 결정하는 해시값 비교

옵션	설명
Match Fuzzy Hash Library	Fuzzy Hash에 대한 새로운 증거 검색
Flag Duplicate Files	증거에서 중복으로 발견된 파일 검색
KFF	알려진 파일에서 해시 데이터베이스 사용
Photo DNA	라이브러리 이미지와 증거 이미지를 비교
Expand Compound Files	ZIP, 이메일 등 다중 파일의 내용을 마운트 후 진행
File Signature Analysis	파일을 분석해 파일 헤더가 파일 확장자와 일치하는지 검증
Flag Bad Extensions	파일 확장자와 일치하지 않는 파일 형식을 검색
Entropy Test	압축되고 암호화된 파일 검색
dtSearch Text Index	빠른 키워드 검색을 위해 사건을 인덱스
Create Thumbnails for Graphics	모든 사건 그래픽에 대해 미리보기 생성
Create Thumbnails for Video	모든 사건 비디오에 대해 미리보기 생성
Generate Common Video File	사건 비디오에 대해 일반적인 비디오 형식을 생성
HTML File Listing	사건 폴더 파일 목록을 HTML 버전으로 생성
CSV File Listing	사건 폴더 파일 목록을 CSV 버전으로 생성
Data Carve	파일 서명을 기반으로 증거에서 삭제된 파일 검색
Meta Carve	삭제된 디렉토리 항목 및 기타 메타데이터를 검색
Optical Character Recognition(OCR)	키워드 처리 시 인식하도록 그래픽 파일에서 텍스트 추출
Explicit Image Detection	의심 가는 내용을 검색
Registry Reports	자동으로 사건 내용에서 Registry Summary Reports (RSR)를 생성
Include Deleted Files	사건에서 삭제된 파일 시각화

옵션	설명
Cerberus Analysis	Cerberus Malware Triage 모듈을 실행
Send Email Alert on Job Completion	이 필드에 이메일 주소가 있다면 작업 완료 시 메시지 송신
Decrypt Credant Files	Credant 솔루션으로 암호화된 파일을 찾아 암호 해독 시도
Process Internet Browser History for Visualization	타임라인을 상세히 볼 수 있게 인터넷 브라우저 히스토리 파일을 처리
Cache Common Filters	파일 목록에 있는 파일을 숨김
Perform Automatic Decryption	패스워드 목록을 사용해 파일 암호 해독을 시도
Language Identification	자동으로 증거에 사용된 언어를 식별

3.6 복합 파일 마운트

개별적인 복합 파일이 혼합된 ZIP, RAR 파일은 반드시 복합 파일로 선택하여 추가해야 한다. 만약 복합 파일로 선택하지 않는다면 하위 파일은 키워드 검색이나 필터로 찾을 수 없게 된다.

복합 파일 마운트를 진행하려면 다음과 같이 설정해야 한다.(그림 3.9 참고)

❶ 다음 중 하나를 선택하여 수행한다.
　　1-1) 새 사건 생성을 통해 New Case Options에서 Custom을 클릭
　　1-2) 기존 사건이 있으면 Evidence → Additional Analysis로 이동

❷ Expand Compound Files를 선택
❸ Expansion Option 선택
❹ Compound File Expansions Options에서 마운드 할 파일 타입 선택
❺ OK 클릭

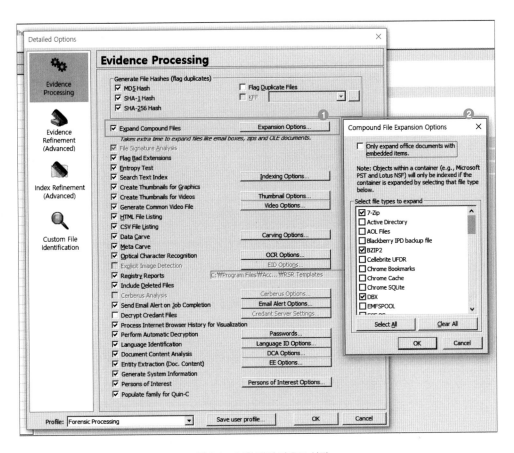

그림 3.9   복합 파일 마운트 설정

3.7   데이터 카빙

데이터 카빙은 파일 시스템에서 삭제된 증거 데이터를 검색하는 과정이며, 데이터 카빙은 주로 할당되지 않은 클러스터에 파일의 header와 footer를 식별해 수행된다. 데이터 카빙을 설정하는 방법은 그림 3.10과 같으며 설정 방법은 다음과 같다.

❶ Data Carve 체크박스 활성화

❷ Carving Options 클릭

❸ 원하는 파일 형식 선택 후 OK 클릭

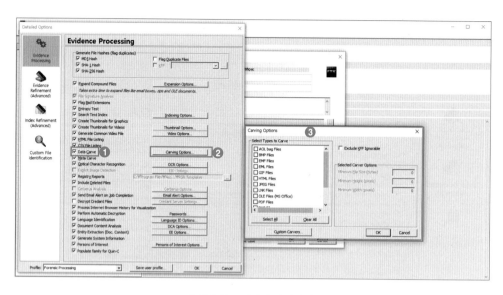

그림 3.10 데이터 카빙 설정

두 번째 탭은 사건 증거 정제로 날짜 필터, 파일 타입, 상태에 따라 데이터 추가나 삭제를 통해 증거가 어떻게 정렬되고 보여줄 것인지 명시한다. 그림 3.11은 "Refine

그림 3.11 사건 증거(Filter)

Evidence by File Status/Type"으로 유형이나 상태에 따라 파일을 포함하거나 제거함으로써 사건에 필요한 특정 파일에 초점을 맞출 수 있다. 예를 들어 MS 워드 파일을 검색할 경우 필터의 "File Type"에서 "Documents"를 체크하여 적용한다. 두 번째 탭은 날짜 범위, 파일 크기를 기준으로 파일을 찾는다. 즉, 만약 검색할 파일의 일부 정보를 사전에 알고 있다고 가정했을 때 필터 기능을 통해 작업을 진행하면 처리 시간이 대폭 단축할 수 있다.

그림 3.12는 Index Refinement와 Custom File Identification 탭으로 인덱스로 처리하고 싶지 않은 데이터 타입을 설정하거나 사용자가 임의의 파일들을 선택하여 조사하는 것이 가능하다. 이 옵션을 설정한 경우 앞서 설정과 마찬가지로 처리 시간을 단축하는 효과가 있다.

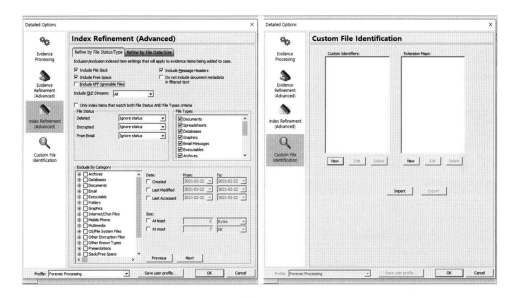

그림 3.12 사건 증거 정제 상세 옵션

3.8 FTK 기본 사용법

FTK에서 자주 사용하게 되는 기능에 대한 기본적인 사용방법을 알아보고자 한다. 첫 번째로 알아볼 기본적인 사용법은 파일 및 폴더 내보내기이며, FTK에서 외부로 증거 파일 및 폴더를 내보내려면 아래 단계를 진행하면 된다.

① File List 뷰어에서 한 개 이상의 내보낼 파일을 선택한다.

② 선택한 파일을 우클릭하고 Export를 선택한다.

③ 아래 옵션을 선택한다.

④ File Options 파일이나 폴더를 내보내기 위한 고급 옵션을 선택한다.

⑤ Items to Include 내보낼 파일이나 폴더를 선택하는 필드를 선택한다.

⑥ Destination base path 파일이 저장될 폴더를 지정한다.

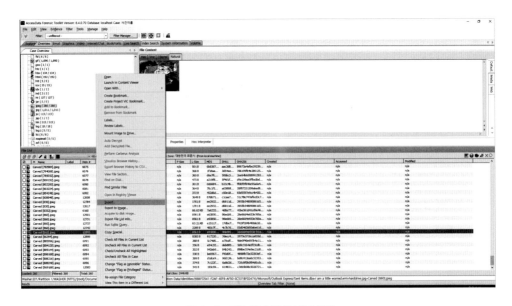

그림 3.13   메뉴화면(파일 내보내기)

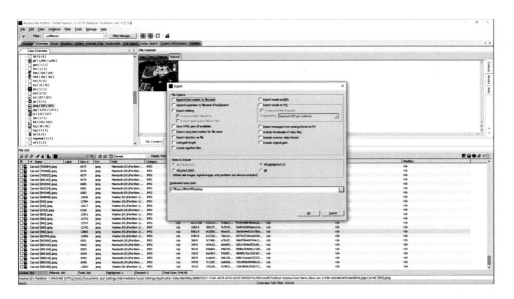

그림 3.14   파일 내보내기 옵션 화면

3.9   칼럼 설정

칼럼은 증거 데이터와 관련 있는 정보 속성이나 메타데이터를 보여준다. FTK는 기본적으로 관련 정보를 빠르게 검색하게 칼럼으로 관리한다. 대부분 사용자가 처음 이 기능을 사용하려면 찾기 힘들어한다. 칼럼을 사용방법은 먼저 그림 3.15에서처럼 "File list"의 속성에서 우클릭을 통해 "Column Setting"을 선택하면 창을 확인할 수 있으며, 그림 3.16에서 나타난 화면에서 "add"와 "remove"를 통해 원하는 옵션을 선택하여 관리할 수 있다. 추가로 칼럼을 관리하려면 "Manage" → "Columns" → "Manage Columns" 경로로 들어간다.

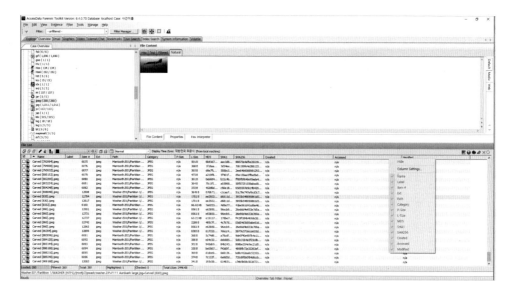

그림 3.15 칼럼 정보

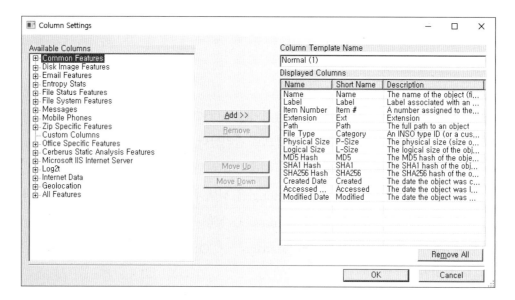

그림 3.16 칼럼 세팅 화면

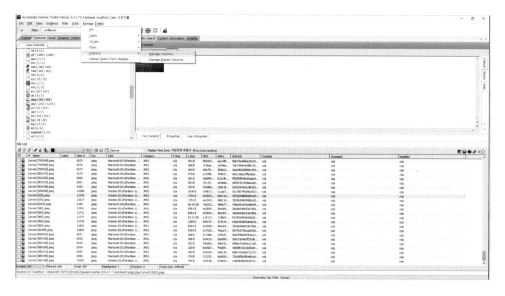

그림 3.17   "Manage Column Settings" 진입 메뉴

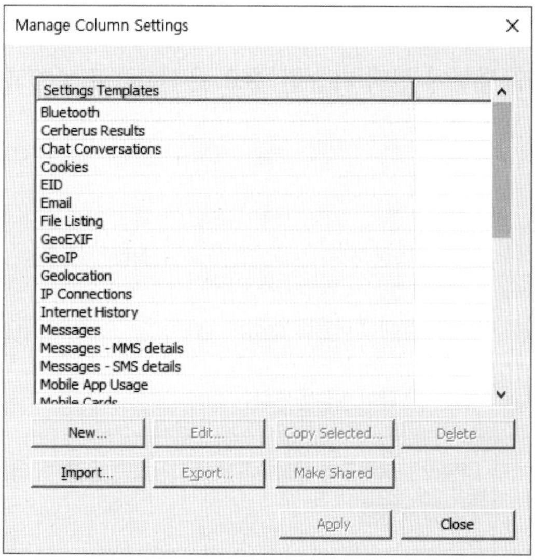

그림 3.18   Manage Column Settings 화면

3.10 북마크 생성과 관리

북마크는 사건에서 참조하기 위한 파일 그룹이고 말할 수 있다. 북마크는 분석가의 스타일에 따라 다양한 방면으로 사용할 수 있으며, 주로 편의성 및 증거 분류, 보고서 출력을 생각하고 사용하는 경우가 많다. 또한 북마크는 하나만 생성할 수 있는 것이 아니라, 북마크 내부에 또 다른 북마크를 포함하여 여러 개의 북마크를 생성할 수도 있다. 기본적인 북마크 생성방법은 아래의 순서와 같다.

❶ "File List"에서 북마크에 추가할 파일을 선택한다.
❷ 선택한 파일에서 우클릭 → "Create Bookmark"를 클릭한다.
❸ 북마크에 대한 정보를 입력한다.
❹ "OK" 클릭한다.

이어서 새로운 북마크 생성에 선택 가능한 주요 옵션은 〈표 3.7〉과 같다.

표 3.7   북마크 주요 옵션

옵션	설명
Bookmark Name	새로운 북마크 이름을 입력.
Bookmark Comment	북마크에 대한 설명을 입력.
Timeline Bookmark	타임라인 북마크를 생성하기 위해 사용하는 옵션. 이 옵션은 사건에서 파일의 연대 관계를 보여줌.
File to Include	이전에 선택한 파일을 볼 수 있는 옵션.
File Comment	파일에 대한 설명을 입력.
Supplementary Files	사건 조사에 도움이 되는 외부 파일을 첨부할 수 있는 옵션.
Also include	Parent index.dat, E-mail Attachments, Parent E-mail를 포함할 수 있음.
Select Bookmark Parent	북마크 생성에 사용하는 폴더로, 북마크를 개인적으로 사용할 것인지, 또는 공유할 것인지 결정한다.

3.11 Index 검색

Index 검색은 색인 된 데이터베이스를 대상으로 검색어와 비교하여 빠른 검색이 가능하다. 이에 대한 예로 Index 검색을 "money" 키워드를 이용하여 예시를 통해 이해해보도록 한다.

❶ "Index Search" 탭을 클릭한다.

❷ "Terms" 부분에 검색어를 입력한 후 Add를 클릭 후 검색된 키워드 목록에서 검색 대상 선택한다.

❸ "Search Terms" 목록에서 원하는 키워드와 검색 방법 선택한다.

❹ "Search Now"를 클릭한다.

❺ "Index Search Results"에 검색 결과를 확인한다.

❻ "Index Search Results"에서 가장 연관성이 높은 결과 선택 후 "File Content"에서 내용 확인한다.

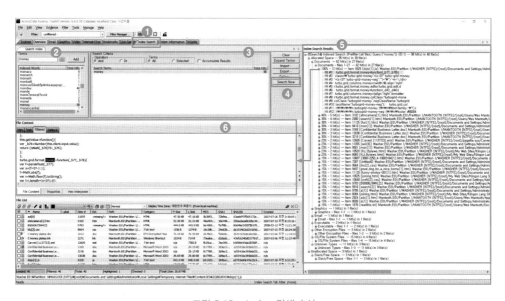

그림 3.19   Index 검색 순서

3.12 라이브 검색

라이브 검색은 검색어를 설정해 모든 증거를 비트 단위로 비교하며, 정규 표현식과 16
진수 값 검색이 가능하다. 라이브 검색을 수행하는 단계는 다음과 같다.

❶ "Live Search" 탭을 클릭한다.

❷ "Text" 탭에서 키워드를 입력한 후 "Add"를 클릭한다.

❸ "Search Terms" 목록에 입력한 키워드 선택한다.

❹ "Search" 클릭한다.

❺ "Live Search Result"에서 원하는 데이터 검색한다.

❻ "File Content"에서 내용 확인한다.

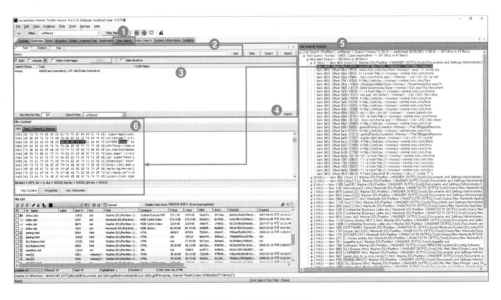

그림 3.20   라이브 검색 순서

3.13   정규표현식 검색

FTK에서는 Live 검색에서 정규표현식을 이용하여 검색할 수 있다. 정규표현식 사용방법은 아래와 같다.

❶ "Live Search" 탭 클릭한다.

❷ "Patten" 탭 클릭한다.

❸ 정규표현식을 혼합한 문장을 작성

　(나머지 과정은 Live 검색과 동일)

❹ "Search" 클릭한다.

❺ "Live Search Result"에서 원하는 데이터 검색한다.

❻ "File Content"에서 내용 확인한다.

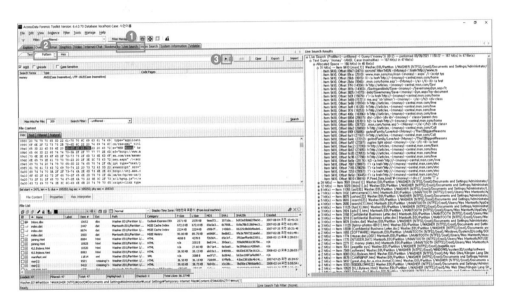

그림 3.21   정규표현식 사용 순서

정규표현식에서 사용되는 기호를 Meta문자라고 표현하며, Meta표현식은 내부적으로 특정 의미를 가진다. 아래 표는 Meta표현식에 대한 내용을 설명한 것이다.

표 3.8 Meta문자 표현식 설명

표현식	의미
^x	문자열의 시작을 표현하며 x 문자로 시작
x$	문자열의 종료를 표현하며 x 문자로 종료
.x	임의의 한 문자의 자리수를 표현하며 문자열이 x로 끝나는 것
x+	반복을 표현하며 x 문자가 한 번 이상 반복되는 경우
x?	존재 여부를 표현하며 x 문자가 존재할 수도, 존재하지 않을 수도 있는 경우
x*	반복 여부를 표현하며 x 문자가 0번 또는 그 이상 반복될 경우
x|y	논리 연산자 or을 표현하며 x 또는 y 문자가 존재할 경우
(x)	그룹을 표현하며 x를 그룹으로 처리
(x)(y)	그룹들의 집합을 표현하며 앞에서부터 순서대로 번호를 부여하여 관리하고 x, y는 각 그룹의 데이터로 관리
(x)(?:y)	그룹들의 집합에 대한 예외를 표현하며 그룹 집합으로 관리되지 않음
x{n}	반복을 표현하며 x 문자가 n번 반복되는 경우
x{n,}	반복을 표현하며 x 문자가 n번 이상 반복되는 경우
x{n,m}	반복을 표현하며 x 문자가 최소 n번 이상 최대 m 번 이하로 반복되는 경우

Meta문자는 '[ ]'을 사용하여 문자열 범위를 지정할 수도 있다. 아래 표는 범위를 사용한 특별한 사용방법을 나열한 것이다. 이때 특수기호 가운데 "₩"와 "\"는 같은 표현이므로 혼동하지 않도록 주의해야 한다.

표 3.9   META문자열 범위

표현식	의미
[xy]	문자 선택을 표현하며 x 와 y 중에 하나를 의미한다.
[^xy]	not을 표현하며 x 및 y를 제외한 문자를 의미한다.
[x-y]	range를 표현하며 x ~ z 사이의 문자를 의미한다.
\^	escape를 표현하며 ^ 를 문자로 사용하는 것
\b	word boundary를 표현하며 문자와 공백사이의 문자
\B	non word boundary를 표현하며 문자와 공백사이가 아닌 문자
\d	숫자
\D	숫자가 아닌 것
\s	공백 문자
\S	공백 문자가 아닌 것
\t	탭 문자
\v	수직 탭 문자
\w	알파벳 + 숫자 + _ 중의 한 문자
\W	알파벳 + 숫자 + _ 가 아닌 문자

정규표현식을 사용할 때 "Flag"라는 것을 사용하는데, "Flag"를 사용하지 않으면 문자열에 대해서 검색을 한 번만 처리하고 종료된다.Flag의 종류는 아래 표 3.10와 같다.

표 3.10   Flag 문자열에 대한 설명

Flag	설명
g	대상 문자열 내에 모든 패턴을 검색하는 것
i	대상 문자열에 대해서 대·소문자를 식별하지 않는 것
m	대상 문자열이 다중 라인의 문자열인 경우에도 검색하는 것

정규표현식 예제로 다음과 같은 표현이 가능하다.

표 3.11   정규표현식 표현 예

정규 표현식	의미
/[0-9]/g	전체에서 0~9범위의 숫자 하나를 검색
/[to]/g	전체에서 t 혹은 o를 모두 찾음
/filter/g	전체에서 'filter'라는 단어를 검색
/\b(?:(?!to)\w)+\b/g	전체에서 'to'라는 단어를 제외한 검색 예를 들어 'Tutorial'라는 단어는 제외
/b(?!\bto\b)\w+\b	전체에서 'to'라는 단어를 제외한 검색 예를 들어 'Tutorial'라는 단어 포함
/^\d{3}-\d{3,4}-\d{4}$/	(전화번호를 검색하는 경우) 시작을 숫자 3개로 하여 하이픈(-) 하나와 숫자 3~4개와 하이픈 하나 마지막으로 숫자 4개로 끝나는 형식을 검색
/^01([0|6]?)-?([0-9]{3,4})-?([0-9]{4})$/	(휴대전화를 번호 검색하는 경우) 시작을 숫자 01로 하여 0,6중에 하나가 나올 수 있고 하이픈 하나가 존재할 수 있고 숫자 3~4개와 하이픈 마지막으로 숫자 4개로 끝나는 형식을 검색
^(https?):\/\/([^:\/\s]+)(:[^\/]*)?((\/[^\s\/]+)*)?\/?([^#\s\?]*)(\?([^#\s]*))?(#(\w*))?$	URL을 검색하는 경우 https://로 시작하여 문자열 혹은 '/'가 혼합된 문장 검색

3.14   필터 작업

필터는 큰 데이터를 매우 구체적으로 검색 범위를 축소할 수 있어 특정 데이터를 빠르게 찾도록 도와준다. FTK에서는 미리 정의된 필터가 존재하여 해당 필터를 콤보박스로 쉽게 만들 수 있다. 필터 작업을 사용하는 순서는 다음과 같다.

❶ 상단 메뉴에서 "Filter Manager" 클릭한다.
❷ "Filter Manager"에서 "Filters" 목록 가운데 원하는 항목을 선택하여 '〉〉'을 클릭하여 "Include" 및 "Exclude"에 포함시킬 수 있으며, "Include"는 선택된 목록에 해당하는 파일만 검색하는 것을 말하며, "Exclude"는 선택된 항목을 제외한 나머지를 검색하는 것을 의미. 각 목록에서 선택적으로 제외할 때에는 '〈〈'를 사용하여 제거 가능하며, 필터 처리 항목 선택을 완료한 후 "Apply" 클릭한다.
❸ "File List"에서 필터 처리된 결과에서 원하는 파일 선택한다.
❹ "File Content"에서 선택된 파일의 내용 확인한다.

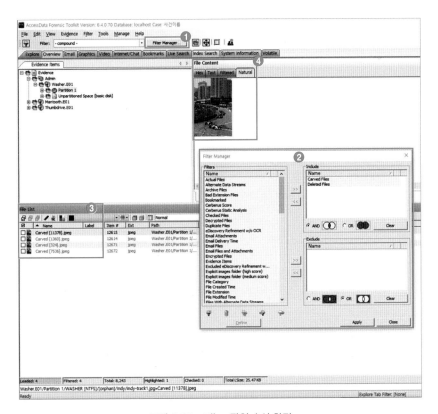

그림 3.22   Filter작업 순서 화면

Q1. FTK에서 사용자 정보를 추가하는 방법에 대해 설명하시오.

Q2. 데이터 카빙에 대해 설명하시오

Q3. 아래 그림에서처럼 각각의 번호에 표시된 항목을 채우시오.

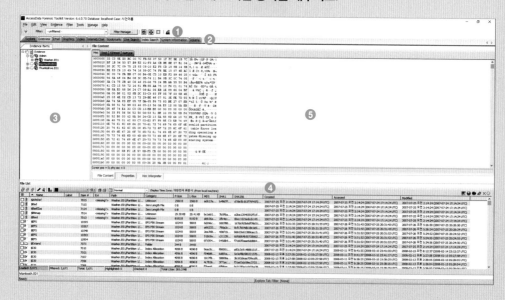

	항목	내용
1	메뉴/툴바 (Menus/Toolbar)	
2	탐색기(Explorer)	
	개용(Overview)	
	이메일(Email)	
	그래픽(Graphics)	
	비디오(Video)	
	인터넷/채팅 (Internet/Chat)	
	북마크(Bookmarks)	
	라이브 검색 (Live Search)	
	인덱스 검색 (Index Search)	
	휘발성(Volatile)	
3	증거 트리 뷰어	
4	File List 뷰어	
5	파일 내용 뷰어	

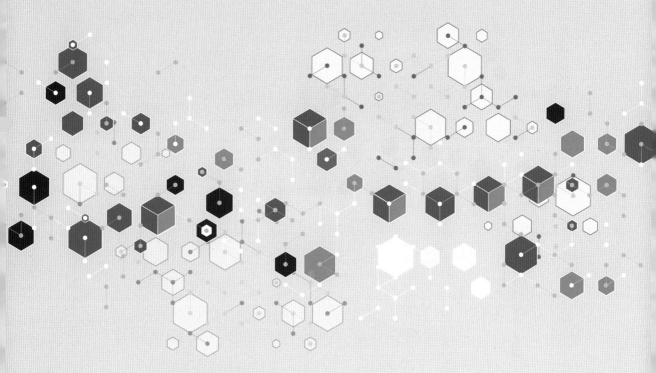

CHAPTER

4

FTK 실습

4.1 메모리 포렌식(Memory Forensic)

일반적으로 흔히 알고 있는 메모리(RAM)는 휘발성 메모리이며, 사용 중인 메모리에 저장된 데이터는 전원이 꺼지게 되면 데이터는 자동으로 삭제된다. 이러한 휘발성 데이터도 최근 들어 중요한 단서로 사용될 수 있으므로 이 과정을 덤프하여 데이터화 시킬 필요가 있다.

메모리 분석을 시 얻을 수 있는 정보는 아래 그림 4.1과 같이 윈도우에서 작업 관리자를 열게 되면 나타나는 정보들이 있으며, 그 외에도 분석 가능한 정보들로는 "프로세스 정보", "네트워크 연결 정보", "레지스트리 정보", "캐시 정보", "클립보드 정보", "악성코드 파일 정보", "하드웨어 설정 정보" 등이 있다. 이러한 분석 정보들은 전반적으로 포렌식에 필요한 많은 정보를 얻을 수 있다.

이름	상태	3% CPU	23% 메모리	0% 디스크	0% 네트워크	0% GPU	GPU 엔진
> 🛠 서비스 호스트: 기능 액세스 관리자 서비스		0%	2.5MB	0MB/s	0Mbps	0%	
> 🛠 서비스 호스트: 로컬 서비스(네트워크 없음)		0%	1.2MB	0MB/s	0Mbps	0%	
> 🛠 서비스 호스트: 로컬 서비스(네트워크 제한)		0%	1.8MB	0MB/s	0Mbps	0%	
> 🛠 서비스 호스트: 로컬 서비스(네트워크 제한)		0%	1.8MB	0MB/s	0Mbps	0%	
> 🛠 서비스 호스트: 로컬 서비스(네트워크 제한)		0%	4.2MB	0MB/s	0Mbps	0%	
> 🛠 서비스 호스트: 로컬 서비스(네트워크 제한)		0%	1.3MB	0MB/s	0Mbps	0%	
> 🛠 서비스 호스트: 로컬 서비스(네트워크 제한)		0%	4.6MB	0MB/s	0Mbps	0%	
> 🛠 서비스 호스트: 로컬 시스템		0%	13.1MB	0MB/s	0Mbps	0%	
> 🛠 서비스 호스트: 로컬 시스템		0%	2.5MB	0MB/s	0Mbps	0%	
> 🛠 서비스 호스트: 무선 송수신 장치 관리 서비스		0%	1.4MB	0MB/s	0Mbps	0%	
> 🛠 서비스 호스트: 연결된 디바이스 플랫폼 사용자 서비...		0%	5.5MB	0MB/s	0Mbps	0%	
> 🛠 서비스 호스트: 연결된 디바이스 플랫폼 서비스		0%	4.2MB	0MB/s	0Mbps	0%	
> 🛠 서비스 호스트: 오케스트레이터 서비스 업데이트		0%	2.2MB	0MB/s	0Mbps	0%	
> 🛠 서비스 호스트: 원격 프로시저 호출(2)		0%	9.7MB	0MB/s	0Mbps	0%	
> 🛠 서비스 호스트: 웹 계정 관리자		0%	3.0MB	0MB/s	0Mbps	0%	
> 🛠 서비스 호스트: 정책 서비스 표시		0%	1.0MB	0MB/s	0Mbps	0%	

그림 4.1   작업관리자 - 프로세스 화면

위와 같은 정보를 실시간으로 확인하여 조사에 활용할 수도 있지만, 메모리 영역에 있는 계속해서 데이터가 바뀌기 때문에 메모리 영역에 있는 데이터를 정확히 분석하기 위해서는 메모리의 현재 상태를 덤프하여 현재 상태를 캡처한 후 데이터로 저장할 필요가 있다. 메모리 덤프 작업을 위해서는 기본적으로 작업할 대상 컴퓨터에 메모리 덤프 프로그램 설치가 필요하다. 메모리 덤프를 위한 프로그램의 종류는 다양하지만, 여기서는 "FTK Imager"를 이용하여 메모리 덤프 작업하는 방법을 알아보도록 한다.

그림 4.2와 같이 메모리 캡처를 위해 먼저 FTK Imager를 실행한 후 "File – Capture Memory"를 클릭한다. 해당 메뉴를 실행하게 되면 그림 4.3과 같은 화면을 확인할 수 있다.

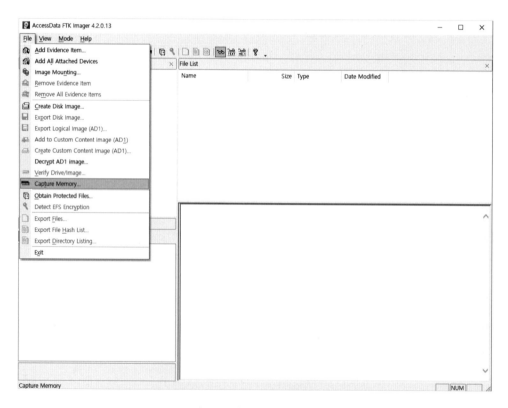

그림 4.2   메모리 캡처 메뉴 위치

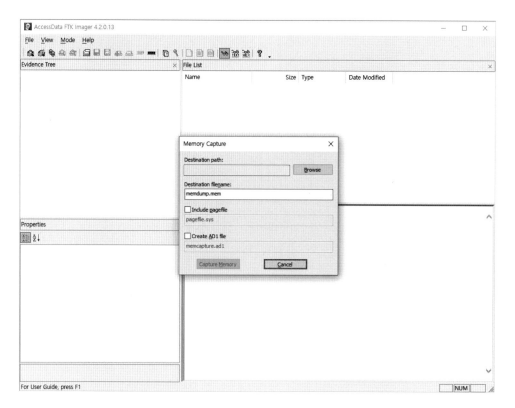

그림 4.3   Memory Capture 화면

그림 4.4에서와 같이 나온 화면에서 기본적으로 덤프할 파일을 내보내기 위해 저장경로를 지정해야 하며, 추가로 사용자가 선택할 수 있는 옵션은 2가지가 있다. 첫 번째로 페이지 파일을 포함시키기 위한 "Include pagefile" 옵션과 두 번째 옵션인 AD1 파일생성을 위한 옵션 "Create AD1 file"가 있다.

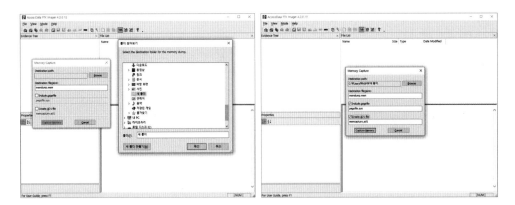

그림 4.4   덤프 파일 내보내기 경로 지정 및 기타 옵션

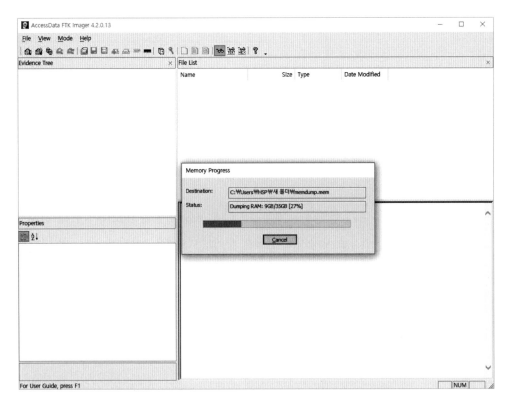

그림 4.5   메모리 덤프 진행

모든 옵션 설정을 하고 "Capture Memory"를 클릭하게 되면 그림 4.5와 같이 메모리 덤프가 진행된다. 진행이 100% 완료되면 사용자가 설정한 경로에 ".mem" 확장자의 파일이 생성되어 있을 것이다. 이러한 ".mem" 파일을 이용하여 메모리 포렌식을 진행할 수 있다.

4.2   PRTK(Password Recovery Tool Kit)

PRTK는 파일에 설정된 암호를 무차별 대입 공격을 통해 암호를 크랙하는 프로그램이다. 대표적으로 MS Office(Power Point , Excel, Word)문서파일 외 압축파일 "ZIP" 형태의 파일을 지원한다. 먼저 PRTK 실행화면은 그림 4.6과 같으며, 크랙을 위한 프로그램이기 때문에 사용법은 크게 어렵지 않고, UI(User Interface)도 한눈에 봐도 알기 쉬울 정도로 구성되어있다.

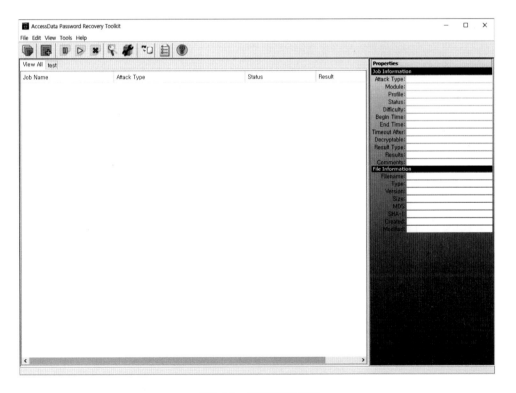

그림 4.6   PRTK 메인 화면

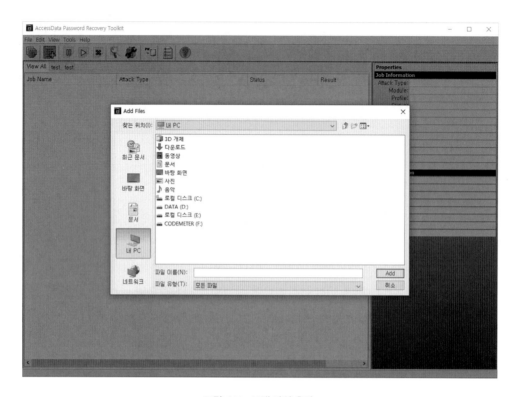

그림 4.7　크랙 파일 추가

암호가 설정된 파일을 추가하기 위해 그림 4.7에서와 같이 "Add Files"를 클릭하여 암호가 설정된 파일을 추가한다. 여기서는 이해를 돕기 위한 목적으로 간단한 테스트를 통해 실험을 해보고자 한다. 먼저 MS Office 제품 중 Excel에서 임의의 파일을 하나 만들고 해당 Excel 문서 파일에 숫자 8자리의 암호를 설정하였다. 생성한 파일의 정보는 파일 이름 "test.xls", 설정한 암호 "87654321"로 진행하였다. 생성한 "test.xls" 파일을 추가하게 되면 그림 4.8과 같이 PRTK 프로그램이 해당 파일 정보를 확인한다.

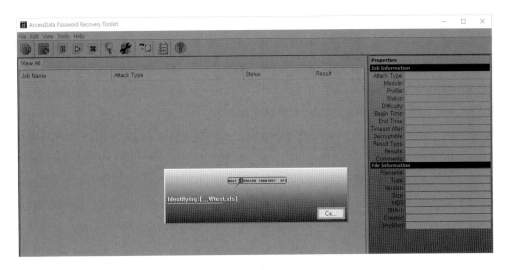

그림 4.8   "test.xls" 파일 확인

해당 파일(test.xls) 확인이 완료되면 다음 단계는 그림 4.9에서처럼 작업 창이 뜬다. 작업 창에서는 설정할 수 있는 옵션은 "Profile"과 "Job name"이 있으며, 이 옵션들은 특별한 경우를 제외하고는 변경할 필요가 없으므로 기본 설정으로 진행한다.

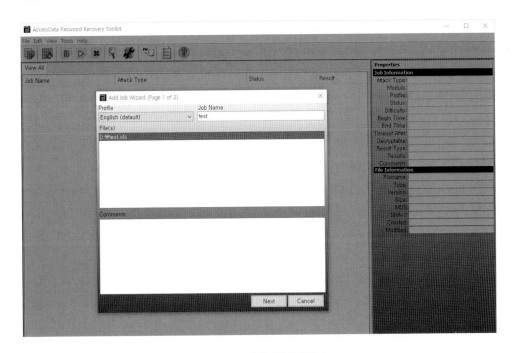

그림 4.9   작업 마법사 설정 1

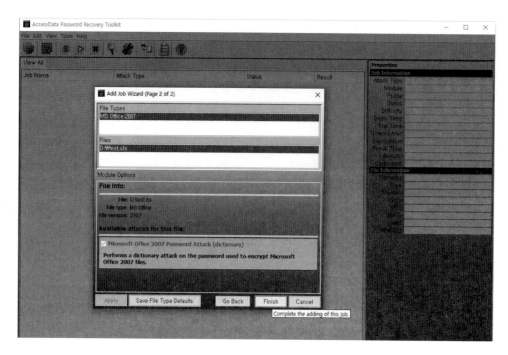

그림 4.10   작업 마법사 설정 2

다음은 그림 4.10에서처럼 파일 타입과 파일 위치를 최종적으로 확인하는 창이 나타나
며, 해당 파일의 정보가 일치하면 "Finish" 버튼을 클릭하여 작업 마법사 설정을 완료한
다. 크랙을 진행하는 동안 그림 4.11과 그림 4.12 화면을 확인할 수 있다.

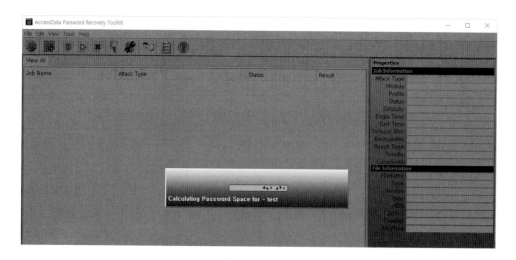

그림 4.11   문서 암호 크랙

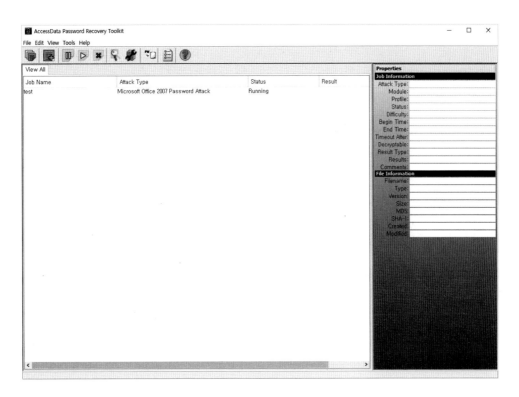

그림 4.12 Job list 및 진행 상황

4.3 레지스트리 뷰어

■ Registry Hive

Registry Hive란? 레지스트리 정보를 저장하고 있는 파일이라고 말할 수 있으며, 레지스트리에서 HKEY로 시작하는 모든 부분을 말한다. 윈도우 레지스트리에서 대표적으로 확인할 수 있는 하이브의 종류는 아래 표 4.1과 같다.

표 4.1   레지스트리 하이브 종류

하이브 종류	설명
HKEY_CLASSES_ROOT(HKCR)	파일 연결 및 대부분의 응용프로그램 정보를 포함하고 있다.
HKEY_CURRENT_USER(HKCU)	현재 로그인한 사용자 설정을 저장한다.
HKEY_LOCAL_MACHINE(HKLM)	모든 사용자 설정을 저장하고 있다.
HKEY_USER(HKU)	로컬 컴퓨터에서 사용 중인 각각의 사용자 프로파일에 대한 서브키를 저장하고 있다.
HKEY_CURRENT_CONFIG	실행 시간에 대한 정보를 저장하고 있다.
HKEY_PERFORMANCE_DATA	런타임 성능 데이터 정보를 제공하며, 레지스트리 편집기에 해당 하이브가 보이지 않으면 윈도우 API를 통해 확인할 수 있다.
HKEY_DYN_DATA	이 키는 구버전 윈도우(95, 98, ME)에서만 사용되던 하이브이다.

다음은 이러한 레지스트리를 구성하는 하이브 파일 목록을 레지스트리 하이브 셋 (Registry Hive Set)이라고 부르며, 이에 따른 대표적인 파일 목록과 해당 내용은 표 4.2, 그림 4.13과 같다.

표 4.2   하이브 파일 목록

파일명	내용
SAM(Security Accounts Manager)	사용자 계정정보 저장
SOFTWARE(Verify OS Information)	OS 정보 저장
SECURITY(Verify persnal SECURITY)	보안관련 저장
SYSTEM(Verify SYSTEM hardware)	하드웨어 기록 저장
NTUSER.DAT(Verify USER Information)	사용자 관련 확인

그림 4.13 레지스트리 편집기 구성

윈도우에서 기본으로 제공하고 있는 레지스트리 편집기를 통해 간단하게 레지스트리를 분석할 수도 있지만, 특별한 경우를 제외하고 직접적으로 분석하는 방법은 포렌식 관점에서 좋은 방법은 아니다. 여기에서 말하는 특별한 경우는 라이브 포렌식(Live Forensic)과 같이 현장에서 바로 분석을 해야 하는 경우를 말하며, 이러한 라이브 포렌식도 조사방법에 따라서 백업 후 진행하는 경우가 많다. 따라서 일반적으로 분석 및 조사해야 할 경우에도 원본을 최대한 보존할 수 있도록 사본을 생성하여 분석해야 하며, 레지스트리 위치에 있는 부분을 파일로 따로 추출하여 사본 파일로 만든 후 분석하는 방법을 이용해야 한다.

레지스트리 파일 사본을 만들기 위해 먼저 해야 할 일은 FTK Imager를 통해 분석할 파일을 선택하는 것이다. 이를 위해 원본디스크에 있는 데이터를 이미징 한 후 해당 이미징 파일 내에 있는 파일을 일부 추출하여 레지스트리를 분석하는 순서이다. 본 장에서는 예제 이미징 파일 내에 있는 부분 중 사용자 정보가 들어있는 파일인 "SAM" 파일과

시스템 정보를 담고 있는 "system"을 추출하여 "SAM", "system" 파일을 분석하는 방법
을 알아보도록 한다.

■ SAM, system 파일 추출

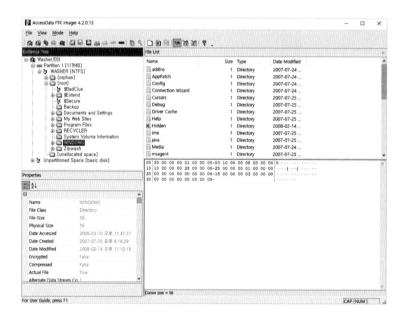

그림 4.14 "SAM" 파일 경로 1

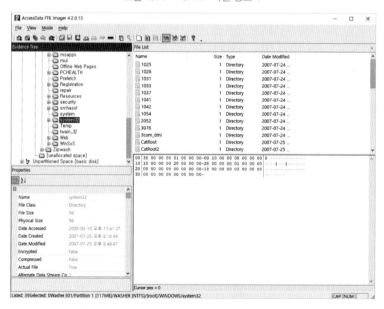

그림 4.15 "SAM" 파일 경로 2

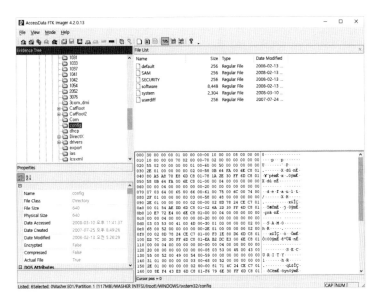

그림 4.16   "SAM" 파일 경로 3

그림 4.14 ~ 그림 4.16에서처럼 "SAM" 파일이 있는 경로는 "Windows\system32\config" 폴더에 해당 파일이 저장되어있다. 해당 경로로 들어가게 되면 SAM이라는 파일이 보일 것이며, 이 "SAM" 파일에 마우스 우클릭을 하여 "Export Files" 메뉴를 클릭하여 파일을 추출한다. "SAM"에서 추출한 방법과 같은 방법으로 "system" 파일도 추출한다.

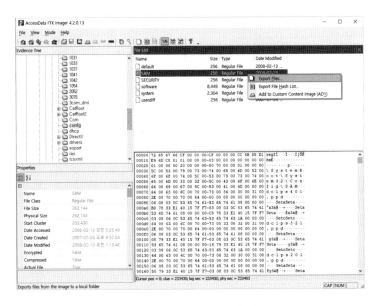

그림 4.17   "SAM" 파일 추출 메뉴

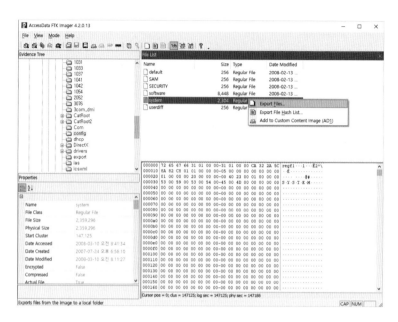

그림 4.18 "system" 파일 추출 메뉴

■ SAM, SYSTEM 파일 분석

"SAM" 파일을 분석하기 위해 먼저 "Registry Viewer"를 실행한다. 그리고 아래 그림 4.19와 같이 해당 경로(SAM\SAM\Domains\Account\Users\Names)를 찾는다.

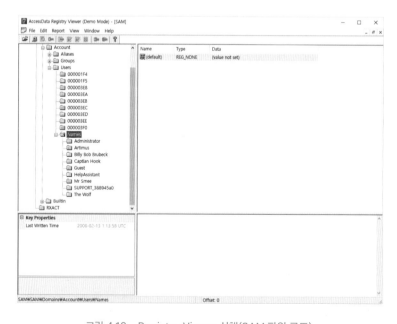

그림 4.19 Registry Viewer 실행(SAM 파일 로드)

그림 4.20에서는 현재 윈도우 사용자리스트에 대한 정보를 확인하기 위한 레지스트리이다. 분석해본 결과 사용자는 관리자 계정을 포함하여 9개의 계정이 있는 것을 확인할수 있다.

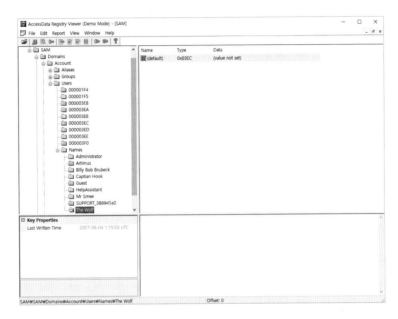

그림 4.20 "The Wolf" 계정정보 분석

앞에서 분석한 계정정보 중 "The Wolf" 계정에 대해 좀 더 자세히 분석해본다. The Wolf 폴더를 클릭하게 되면 해당 계정에 대한 키 정보를 확인할 수 있다. 이미징 파일기준으로 키 속성에서는 "Last Written Time"의 정보를 먼저 확인할 수 있다. 확인할 수있는 날짜와 시간은 이미지 기준 "2007-08-04 1:15:03 UTC"이며, 여기서 중요하게봐야 할 부분은 타임존(UTC)이다. 타임존에 따라 기준시간이 다르므로 이 부분은 실수없이 확인해야 할 부분이다.

그림 4.21   "The Wolf" 키 속성 정보

그림 4.21에서처럼 "Names" 폴더에 속해있는 사용자 정보는 "Users" 폴더 내에 고유번호와 같은 이름의 폴더가 하나 더 존재한다. 이러한 폴더 중 "The Wolf"에 대한 폴더는 "000003EC"라는 폴더이며, 키 속성을 살펴보면 "User Name"과 "Full Name" 부분에 "The Wolf"라고 적혀있음을 확인할 수 있다.

그림 4.22   "The Wolf"의 RID 값

그 밖에도 그림 4.22 ~ 그림 4.24에서처럼 고유값 중 하나인 RID 값 확인, 최근 로그 온 시간, 누적 로그온 횟수와 같은 사용자마다 자세한 로그 정보와 같은 많은 정보를 분석할 수 있다.

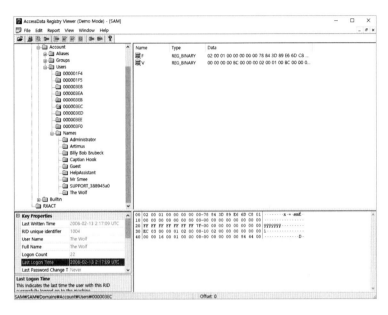

그림 4.23   "The Wolf" 최근 로그온 시간

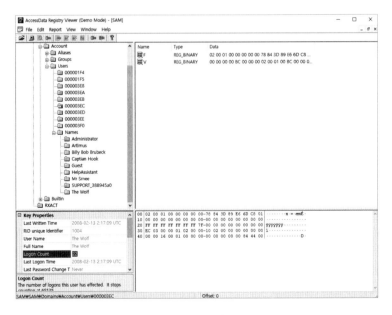

그림 4.24   "The Wolf" 로그온 횟수

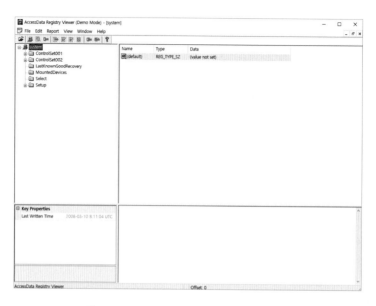

그림 4.25   Registry Viewer(system 파일 로드)

이번에는 2번째로 추출한 "system" 파일을 분석해보도록 한다. "system" 파일에서는 보통 "Time Zone Setting"을 알기 위해 필수적으로 분석해야 하는 파일이다. 분석을 위해 그림 4.25에서처럼 "system" 파일을 불러온다.

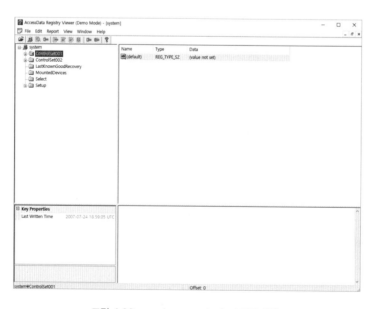

그림 4.26   system-controlset001 선택

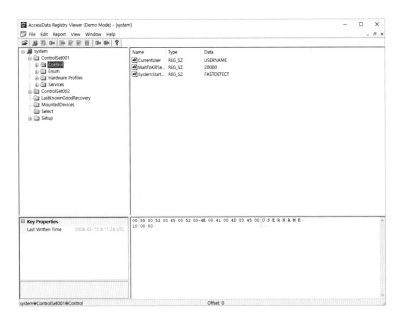

그림 4.27   하위폴더 "Control"

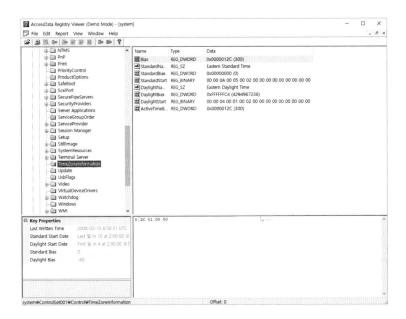

그림 4.28   하위폴더 "TimeZoneInformation"

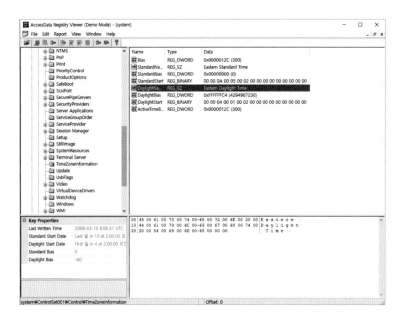

그림 4.29   DaylightName 확인

불러온 화면에서 그림 4.26~그림 28에서처럼 순서대로 해당 경로로 이동한다. 해당 경로로 이동하게 되면 그림 4.29과 같은 화면을 확인할 수 있으며, 그림에서 선택한 항목 "DaylightName"이 이미징한 대상의 Time Zone Setting이다.

Q1.   FTK Imager에서 메모리를 덤프하는 방법에 대해 설명하시오.

Q2.   PRTK(Password Recovery Tool Kit)을 설명하시오.

Q3.   아래 표는 레지스트리 하이브 종류이다. 빈칸을 채우시오.

하이브 종류	설명
HKEY_CLASSES_ROOT(HKCR)	
HKEY_CURRENT_USER(HKCU)	
HKEY_LOCAL_MACHINE(HKLM)	
HKEY_USER(HKU)	
HKEY_CURRENT_CONFIG	
HKEY_PERFORMANCE_DATA	
HKEY_DYN_DATA	

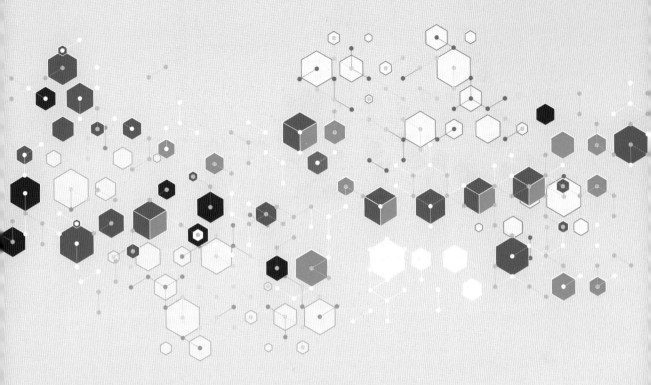

CHAPTER

5

디스크 포렌식

5.1 파티션이란?

파티션은 물리적인 저장 공간(디스크)을 하나 이상의 독립된 논리적인 영역으로 나누어 사용할 수 있도록 정의한 규약이며, 파티션의 종류로는 주 파티션(Primary Partition), 확장 파티션(Extended Partition), 논리 드라이브(Logical Drive)와 같이 크게 3가지로 나눠볼 수 있다.

먼저, 주 파티션은 물리적으로 장착된 디스크를 말하며, 데이터 저장뿐만 아니라 기본적으로 운영체제(Windows, Linux, Mac 등)를 설치하여 사용한다. 새 하드디스크를 처음 컴퓨터에 장착하면 바로 사용할 수 없으며(데이터 기록 불가), 하드디스크를 사용하기 전 사전작업으로 파티션을 할당해 주어야 한다. 이와 관련된 상세한 설명은 아래 그림 5.1과 같다. 아래 그림 5.1에서 "A"에 해당하는 부분은 물리적인 디스크 공간만을 의미하며, 컴퓨터에 연결해도 아직은 데이터를 기록할 수 없으며, 하드디스크 사용이 불가능한 단계이다. "B"는 하나의 주 파티션(FAT32)을 할당한 상태이며, 데이터 저장 및 운영체제를 설치할 수 있는 상태이다. "C"는 두 개의 주 파티션(C:NTFS, D:FAT32)을 할당한 상태이며, 저장 공간은 각각 500MB씩 나눈 상태이다.

A. 파티션을 사용하지 않은 경우 또는 자체 제작한 파일시스템

1000MB

B. 단일 파티션 : 디스크에 단일 파티션을 사용하는 경우

B R	C: [FAT32] 1000MB

C. 다중 파티션 : 디스크를 2개 이상의 파티션으로 나눈 경우

M B R	C: [NTFS] 500MB	B R	D: [FAT32] 500MB

그림 5.1 파티션 종류 및 설명

파티션을 나누기 위해서는 하나의 물리 저장장치에 연속된 공간이 있어야 한다. 예를 들어, 하나의 하드디스크에는 여러 개의 파티션을 나눌 수 있지만, 두 개의 하드디스크를 가지고 하나의 파티션을 생성할 수 없다. 또한 "B"와 "C"의 가장 큰 차이점은 MBR(Master Boot Record)의 유무이다.

5.2 MBR

5.2.1 MBR이란?

Master Boot Record는 Boot Record의 메인 격이다.

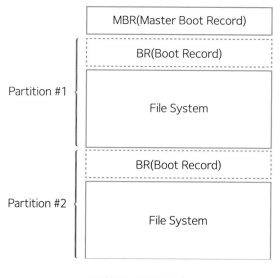

그림 5.2 　파티션 구성

그림 5.2에서와 같이 MBR은 물리디스크의 첫 번째 섹터에 위치하며, 운영체제가 설치된 파티션 정보를 로드하여 부팅 하거나, 운영체제 실행을 위한 부트 로더(Boot Loader)를 호출하는 것이다. 단, 파티션을 나누지 않았을 경우는 부트 레코드는 MBR에 포함되며, 이러한 경우는 단일 파티션이 되므로 하나의 부트 레코드만 존재한다.

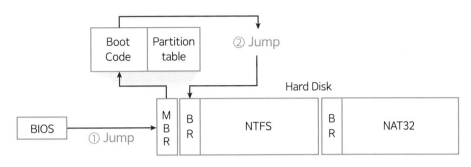

그림 5.3   부팅 순서도

그림 5.3에서처럼 일반적인 PC에서 처음 전원 버튼을 눌러 전원을 인가하게 되면 제일 먼저 BIOS라는 펌웨어가 시스템 내의 장치들을 검사하며, 검사 중 이상 없다면 저장장치의 가장 앞부분인 MBR로 단계가 진행된다. 이때 단순히 첫 번째 섹터로 이동하며, 운영체제가 설치되어 있다면 정보를 불러와서 해당 운영체제를 실행한다.

5.3   MBR의 구조

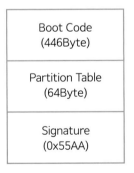

그림 5.4   Microsoft MBR 구조

그림 5.4는 현재 가장 많이 사용되고 있는 MBR 구조중 하나인 Microsoft MBR을 나타내고 있으며, MBR의 영역은 크게 부트 코드와 파티션 테이블 영역으로 나눌 수 있다. 다른 OS의 경우 대부분 부트 코드 영역이 몇 섹터에 걸쳐 저장되거나 파티션 영역을 저

장하는 영역도 한 섹터 또는 몇 섹터에 걸쳐 저장하기도 하지만, Microsoft의 MBR에는
부트 코드와 파티션 테이블을 가지고 있는 것이 특징이다.

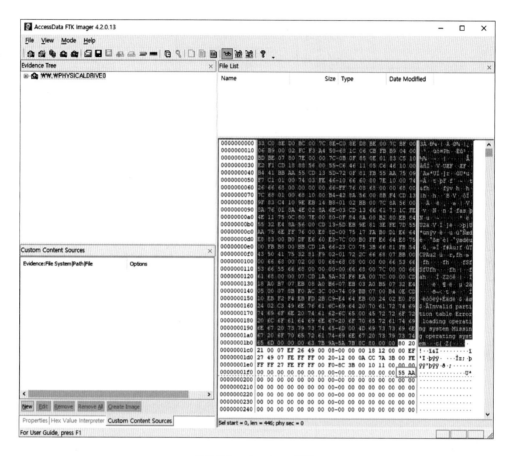

그림 5.5　signature 확인

그림 5.5에서처럼 0번 섹터에서 512Byte중 부트 코드 영역을 상위 446Byte(블록 지정
한 부분)를 사용하고 있으며, 그 뒤의 64Byte를 파티션 테이블 마지막의 2Byte가 MBR
의 시그니처(Signature)인 "0x(55 AA)"가 들어간다. IBM 호환 CPU특성상 리틀 엔디안
(Little Endian)에 의해 덤프를 하면 "55 AA"가 나오는 것을 볼 수 있다.

5.4 파티션 정보의 관리

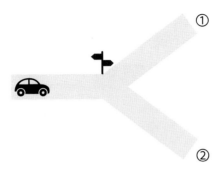

그림 5.6 부트 시퀀스

그림 5.6은 부트 시퀀스를 설명하는 그림이다. 보통 PC 구성이 완벽하고 전원이 연결되어있는 상태에서 전원 스위치를 누르면 위 그림과 같이 부트 시퀀스를 실행하여 PC를 부팅한다. 여기서 부트 시퀀스란 PC의 운영체제를 찾고 동작시키기 위하여 먼저 메인보드에 내장된 BIOS(Basic Input/Output System)를 거쳐 부팅 가능한 파티션이 있는 디스크를 찾는 순차적인 행위를 의미한다. 이와 같은 작업을 수행하기 위하여 파티션 정보를 저장하고 관리하는 것이 중요하다.

다중 파티션을 나누어 사용하는 경우 MBR(디스크 0번 섹터) 영역 내에 '파티션 테이블'에 존재한다. 운영체제가 설치된 디스크를 DOS(Disk Operating System)라고 하며,

표 5.1 DOS 파티션 테이블 속성

파티션 테이블을 이용하여 알아낼 수 있는 정보	참고
파티션의 부팅 가능 여부	-
하드디스크 읽는 모드	CHS/LBA
파티션의 시작 및 끝 위치	-
파티션 타입	파일 시스템과 사용 용도를 알 수 있다.
파티션에서 사용되는 섹터의 개수	파티션의 크기를 알 수 있다.

MBR에는 운영체제가 설치 가능한 파티션 테이블에 대한 여러 가지 자세한 정보를 알수 있다.

부트 시퀀스가 BIOS를 지나 하드디스크 MBR 영역 내 파티션 테이블의 위의 속성을 알고 있고, 그 뒤 해당 파티션으로 이동해서 안정적으로 부팅을 하거나 다른 파티션(확장파티션)으로 이동하게 된다.

5.5   파티션의 사용 장점

파티션을 사용하면 다음과 같은 장점이 있다.

❶ 하나의 물리적인 디스크를 여러 논리 영역으로 나누어 관리할 수 있다.
❷ 운영체제 영역과 데이터 영역으로 나누어 운영체제 영역만 따로 관리하기 위해 사용한다.
❸ 하나 이상의 여러 운영체제를 설치하여 다양한 운영체제를 사용하기 위해 사용한다.
❹ 하드 디스크의 물리적인 저장 공간의 고장 난 특정 영역(배드 섹터)을 잘라서 사용하기 위해 사용한다.

❶ ~ ❸의 경우 운영체제 문제시 데이터 영역 전체 손실을 막기 위함이며, "4"의 경우 하드디스크 물리적 배드 섹터가 생긴 경우 그 부분을 피해 다른 영역에 정상적으로 사용할 때 쓰는 방법이다.

5.6   파티션과 볼륨의 차이점

볼륨(Volume)은 단일 파일 시스템을 사용해서 접근할 수 있는 저장 공간을 의미한다. 즉, 운영체제나 프로그램 등에서 이용할 수 있는 저장 공간(섹터 : Sector)의 집합이며,

아래 그림 5.7을 참조하여 물리적 데이터 공간과 파티션 그리고 볼륨에 대한 정의를 기억하도록 한다.

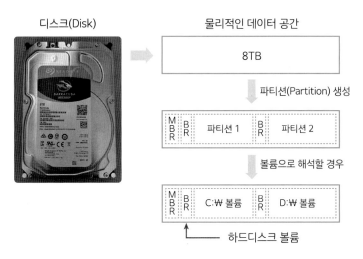

그림 5.7   파티션과 볼륨

그림 5.8에서 보듯이 볼륨의 특징은 연속된 공간이 아니라도 사용할 수 있다는 것이다. 즉 2개의 하드디스크를 사용하는 경우 하나의 하드디스크처럼 인식하여 사용할 수 있다.

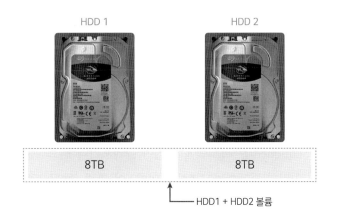

그림 5.8   하드디스크 볼륨

이때 파티션은 반드시 연속된 섹터의 집합 이여야만 한다. 예를 들어 그림 5.9에서처럼 하나의 파티션에 용량이 부족할 때 볼륨의 개념을 활용하여 2개의 파티션을 1개의 볼륨으로 사용할 수 있겠지만, 그렇지 않다면 파티션은 반드시 연속된 공간을 활용해야 하므로 기존의 파티션 2개를 삭제한 뒤 새로운 파티션을 다시 설치해야 한다.

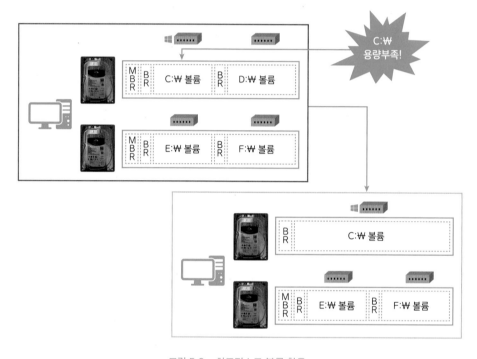

그림 5.9   하드디스크 볼륨 활용

5.7   BIOS와 부트 시퀀스

부트 시퀀스(Boot Sequence)는 시스템에 전원이 들어오거나 시스템을 재시작할 때 커널을 로드하기까지 일련의 과정이라고 할 수 있다. 이 과정 중에는 주기억장치에서 커널을 메모리에 적재하는 등의 여러 가지 작업이 있지만, 그 중에서도 가장 선행되는 작업은 BIOS(Basic Input/Output System)에 의해 행해지는 검증 작업이다.

BIOS는 PC에서 전원이 들어오자마자 구동되는 플래시 메모리(Flash Memory) 내의 펌웨어이며, 보통 ROM BIOS라고도 불린다.

BIOS는 CPU 상태를 비롯하여 메모리와 PC에 연결된 모든 장치 및 포트 등이 사용 가능한지 테스트를 진행하고, 커널과 장치와의 인터페이스를 제공한다. 즉, 우리가 사용하는 운영체제나 응용프로그램에서 하드웨어를 호출할 수 있는 창구와 같은 기능을 하게 되는 것이다.

■ BIOS의 역할

시스템에 장착된 모든 하드웨어가 정상 동작하는지 테스트하는 POST(Power-On-Self-Test)를 진행한다. 이 과정에서 메모리, 하드디스크, CD-ROM, 키보드 등의 문제가 있으면 비프(beep)음이나 화면에 오류를 출력한다.

동일 시스템에 다른 BIOS가 있으면 이를 호출하여 활성화한다. 그래픽 카드나 SCSI[1] 카드에 독립적인 BIOS가 있는 경우 메인보드의 BIOS가 이들을 활성화해주어야 한다.

하드디스크나 보드의 클럭 등을 관리 기능을 제공한다. CMOS를 통해 메인보드를 비롯한 주변 장치들의 설정을 변경할 수 있으며, 여기서 설정한 데이터는 메인보드 내의 EEPROM[2]에 저장된다.

POST 과정을 정상적으로 마친 경우 시스템에 연결되어있는 주변 장치들을 초기화하며, 이는 차후 OS에 각 장치들의 인터페이스를 제공할 수 있게 한다.

디스크의 첫 번째 섹터를 읽어 들이며, DOS의 경우 MBR 부트 코드를 실행시켜 소프트웨어적 부팅을 한다.

화면 내 콘솔창으로 출력하도록 별도 작업을 하지 않아도 모니터 화면을 통해 결과가 나오는 이유는 표준 출력(Standard Output)이 모니터로 되어 있기 때문이다. 이는 OS가 BIOS의 기본 출력을 모니터로 설정하였기 때문이다. 이 표준 출력을 다른 곳으로 바꿔준다면 파일이든 기타 출력장치(LED, Printer 등)든 부가 장치로 손쉽게 출력할 수 있다.

---

1 SCSI(Small Computer System Interface) 소형 컴퓨터를 위한 주변기기 연결에 쓰이는 인터페이스(Interface) 표준.

2 EEPROM(Electrically Erasable Programmable Read-Only Memory) 전기적인 기능을 통해 저장된 데이터를 지울수 있어 전원이 끊겨도 기록된 데이터들이 소멸하지 않는 비휘발성 메모리.

■ BIOS의 일반적인 시퀀스

❶ PC에 전원이 들어온 뒤 일련의 과정을 거친 후 BIOS 루틴[3]이 시작된다.

❷ 기존에 저장된 CMOS 설정값을 읽는다. 여기서 읽는 값들은 하드웨어를 직접 제어할 수 있는 값으로 CPU 클럭 설정부터 주기억장치의 부트 시퀀스까지 많은 데이터를 가져온다.

❸ 인터럽트[4] 핸들러와 장치 드라이버 로드한다. 인터럽트 핸들러는 비교적 초기에 설정되며, 인터럽트 벡터 역시 초기화된다. 이 인터럽트 벡터를 기반으로 대부분의 커널에서 확장된 인터럽트 벡터를 자체적으로 생성해서 가지고 있으며, 이를 이용하여 응용프로그램 내외적 통신을 가능하게 한다.

❹ 레지스터 영역과 파워 관리 영역을 초기화한다.

❺ POST를 수행한다. 문제가 발견되면 그에 해당하는 비프음을 발생한 뒤 정지한다. 정상이라면 BIOS는 INT 19를 발생시켜 다음 과정을 진행한다.

❻ 시스템 내의 비디오 카드를 검색하고, 비디오 카드 내의 BIOS가 있는지 확인하여 있으면 이를 호출하여 비디오 카드 자체적 초기화를 진행하는데 대부분의 비디오 카드는 이 시점에 비디오 카드의 간략한 정보를 화면에 출력하기도 한다.

❼ 기타 장치를 검색하고, 해당 장치 내에 BIOS가 있으면 이를 호출, 실행시킨다. 이때 하드디스크 등을 검색한다.

❽ BIOS의 시작 화면이 출력되며 기타 정보들을 화면에 보여준다. BIOS의 제조사 및 버전 정보, 제조일, Setup키(F1, Del 등), 시스템 로고, 시리얼 번호 등을 확인할 수 있다. PC를 켜면 본격적인 부팅과정을 볼 수 있는 화면이 나오는 것이다.

❾ 기타 장치들을 추가 테스트 진행한다. 각 장치들의 제조사에서 자체적으로 체크하는 루틴으로 에러 메시지가 화면에 출력되어 디버깅하기 용이하며, 이때 메모리, 디스크 드라이브, DMA, 키보드 등 다양한 테스트를 진행한다.

❿ BIOS에서 검사한 시스템 정보들을 화면에 출력한다. 부트 시퀀스 중 POST 과정이 완료되는 것이다.

---

3 특정한 작업을 실행하기 위한 일련의 명령

4 CPU가 프로그램을 실행하고 있을 때, 입출력 하드웨어 등의 장치나 예외상황이 발생하여 처리가 필요할 경우에 마이크로프로세서에게 알려 처리할 수 있도록 하는 것

⑪ OS를 불러오기 위한 작업으로 부팅 가능한 저장장치를 검사하며, CMOS에 설정되어있는 부팅가능 순서대로 검사를 진행한다. 정상적인 저장장치가 검색되면 해당 장치의 부트 섹터를 호출한다.

BIOS는 PC의 시작부터 끝까지 모든 부분에 관여하며, 메인보드와 주변장치 사이의 인터페이스를 제공하고 초기화하며, 이를 이용하여 OS에서 장치들을 제어할 수 있게 한다.

5.8 파티션 종류

5.8.1 DOS 파티션 테이블

Microsoft에서 출시된 MS-DOS를 비롯한 Windows 제품군이 DOS 파티션을 사용하고 있으며 Linux도 사용하고 있다. DOS 파티션 테이블이 물리적으로 위치하는 곳은 디스크 0번 섹터 내 MBR 영역의 부트 코드 바로 다음에 해당된다. 446번지로부터 64Byte의 공간을 파티션 테이블이 사용한다. 파티션 테이블은 총 4개의 파티션을 기록할 수 있으며 파티션 1개의 정보는 16Byte로 표현한다.

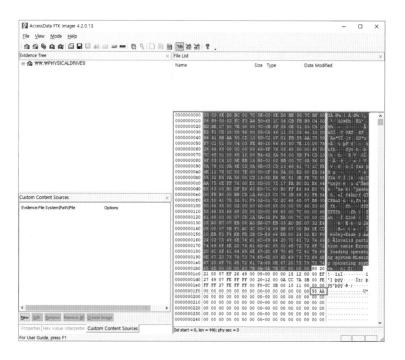

그림 5.10 파티션 정보

파티션 테이블에 기록할 수 있는 파티션의 개수 제한 극복을 위해 확장 파티션을 지원하며, 이를 이용하면 논리적으로 생성할 수 있는 파티션 개수의 제한이 없어지지만, 결과적으로 DOS 파티션을 복잡하게 만드는 원인이기도 하다. 그림 5.10에서처럼 16Byte 마다 하나의 파티션에 대한 정보가 들어가게 된다. 즉 4개의 파티션까지 기록이 가능하다.

5.9　DOS 파티션의 구조

5.9.1　MS-DOS 파티션 테이블의 구성

■ MBR 내의 파티션 테이블 구조도

표 5.2　파티션 위치별 크기와 정보

위치(Byte)	크기(Byte)	설명
0	446	부트코드
446	16	파티션 #1
462	16	파티션 #2
478	16	파티션 #3
494	16	파티션 #4
510	2	MBR Signature(0xAA55)

5.9.2 DOS 파티션 영역의 분석

■ 파티션 테이블 항목

파티션의 실질적인 위치 정보를 읽고 기록할 때 필요한 부분이 CHS 모드와 LBA 모드이다.

이름	Bootable Flag				
위치(Offset)	0	크기(Size)	1 Byte	일반적인 값(Value)	0x80(부팅가능), 0
설명	부팅 가능한 하드디스크를 나타내는 플래그. 모든 파티션에서 필수적으로 필요하지 않으며 부팅 가능한 파티션에만 0x80 코드(8bit 중 MSB가 ON)가 설정되면 된다.				

이름	Starting CHS Address				
위치(Offset)	1~3	크기(Size)	3 Byte	일반적인 값(Value)	가변적
설명	CHS 모드로 표현하는 파티션의 시작 번지 수. 24bit 중 Cylinder 10Bit, Header 8Bit, Sector 6Bit로 표현. Starting CHS Address와 Starting LBS Address 둘 다 입력하지 않아도 되며 둘 중 하나만 입력하여 사용한다. OS 또는 그에 해당하는 어플리케이션에 따라 다르다.				

이름	Partition Type				
위치(Offset)	4	크기(Size)	1 Byte	일반적인 값(Value)	그림 5-11 참조
설명	파티션의 타입을 나타내는 고유 값으로 현재까지 나온 모든 파티션들은 각각 고유 값이 있다. 파티션 타입의 경우 파일 시스템의 종류에 따라 다르기때문에 만약 파티션을 사용하나 파일 시스템을 사용하지 않는 경우 0으로 채워진다.				

CHS 모드나 LBA 모드는 어플리케이션에 의존적이다. 또한 Partition Type에 정의되어 있는 값들은 파티션 종류뿐 아니라 사용하는 모드가 어떤 모드인지 정의하고 있으니 어플리케이션 개발 시 다른 OS 또는 제품과 호환성을 갖고 싶다면 해당 OS에서 읽어들일 수 있는 Partition Type을 맞게 선택하여야 한다.

이름	Ending CHS Address				
위치(Offset)	5~7	크기(Size)	3 Byte	일반적인 값(Value)	가변적
설명	CHS 모드로 표현하는 파티션의 끝 지점. 앞서 나온 Starting CHS Address와 매치되어 같이 기록되어야 한다.				

이름	Starting LBA Address				
위치(Offset)	8~11	크기(Size)	4 Byte	일반적인 값(Value)	가변적
설명	LBA 모드로 표현하는 파티션의 시작 번지. 0부터 시작하며 LBA 모드를 사용할지 CHS 모드를 사용할지는 전적으로 어플리케이션에 의존한다.				

이름	Size in Sector				
위치(Offset)	12~15	크기(Size)	4 Byte	일반적인 값(Value)	가변적
설명	파티션에서 사용하는 LBA의 총 개수를 의미하며, 하나의 LBA 블록은 512Byte이므로 해당 파티션의 총 용량은 Size In Sector X 512Byte 이다.				

Partition Type	설명
0x00	FA12 primary partition or logical drive, CHS
0x01	FAT12 primary partition or logical drive, CHS
0x04	FAT15 partition or logical drive, CHS
0x05	Microsoft Extended partition, CHS
0x06	BIGDOS FAT16 partition or 1 local drive(33MB - 4GB), CHS
0x07	Installable Filesystem(NTFS partition or logical drive)
0x0B	FAT32 partition or logical drive, CHS
0x0C	FAT32 partition or logical drive using BIOS INT 13h extensions, LBA
0x0E	BIGDOS FAT16 partition or logical drive using BIOS INT 13h extensions, LBA
0x0F	Extended partition using BIOS INT 13h extension, LBA
0x11	Hidden FAT12. CHS
0x14	Hidden FAT16. 16MB - 32MB. CHS
0x16	Hidden FAT16. 32MB - 2GB. CHs
0x1B	Hidden FAT32, CHS
0x1C	Hidden FAT32. LBA
0x1E	Hidden FAT16, 32MB - 2GB, LBA
0x42	Microsoft MBR, Dynamic Disk
0x82	Solaris x86
0x82	Linux Swap
0x83	Linux
0x84	Hibernation
0x85	Linux Extended
0x86	NTFS Volume Set
0x87	NTFS Volume Set
0xA0	Hibernation
0xA1	Hibernation
0xA5	FreeBSD
0xA6	OpenBSD
0xA8	MacOS X
0xA9	NetBSD
0xAB	MacOS X Boot
0xB7	BSDI
0xB8	BSDI swap
0xEE	EFI GPT Disk
0xEF	EFI System Partition
0xFB	Vmware FileSystem
0xFC	Vmware swap

그림 5.11   파티션 타입별 설명

그림 5.12는 개인 컴퓨터 파티션 테이블 항목 분석한 것이다. 분석은 총 6개 항목으로 분석하였으며, 분석대상마다 분석 내용과 값을 나열하였다.

```
0000000190 6E 67 20 73 79 73 74 65-6D 00 4D 69 73 73 69 6E  ng system·Missin
00000001a0 67 20 6F 70 65 72 61 74-69 6E 67 20 73 79 73 74  g operating syst
00000001b0 65 6D 00 00 00 63 7B 9A-5A 7B 8C 80 00 00 80 20  em···c{·Z{·····80 20
00000001c0 21 00 07 EF 26 49 00 08-00 00 00 18 12 00 00 EF  !···I&I········Ï
00000001d0 27 49 07 FE FF FF 00 20-12 00 0A CC 7A 3B 00 FE  'I·þÿÿ·  ···Ìz;·þ
00000001e0 FF FF 27 FE FF FF 00 F0-8C 3B 00 10 11 00 00 00  ÿÿ'þÿÿ·ð·;······
00000001f0 00 00 00 00 00 00 00 00-00 00 00 00 00 00 55 AA  ··············Uª
```

분석대상	분석내용	2진값
80	**Boot Flag** 부팅 가능 파티션	1000 0000
20 21 00	**Starting CHS Addr**	0000 0000 0010 0001 0010 0000 Cylinder(10bit) Header(8bit) Sector(6bit)
07	**Part Type**	0000 0111 0x07 : NTFS Partition or Logical Dirve)
DF 13 0C	**Ending Chs Addr**	0000 1100 0001 0011 0000 1100 Cylinder(10bit) Header(8bit) Sector(6bit)
00 08 00 00	**String LBA Addr**	0000 0000 0000 0000 0000 1000 0000 0000
00 18 12 00 **[Little Endian]** 00 12 18 00	**Size in Sector** 1,185,792(Sector) X 512(byte) = 607,125,504 byte 607,125,504/1024 = 592,896 Kbyte 592,896/1024 = 579 Mbyte 579/1024 = 0.57 Gbyte	0000 0000 0010 0000 0000 0011 0000 0000

그림 5.12   파티션 분석

5.10 FAT32 파일시스템 구조 파악

■ FAT32 전체 구조

예약된
영역
Boot
directory
사용하지
않는 영역
FAT #1
FAT #2
Data 영역(파일과 디렉터리)
Boot
Record

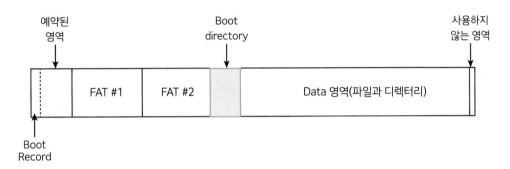

그림 5.13 FAT32 전체 구조

■ BR 구조

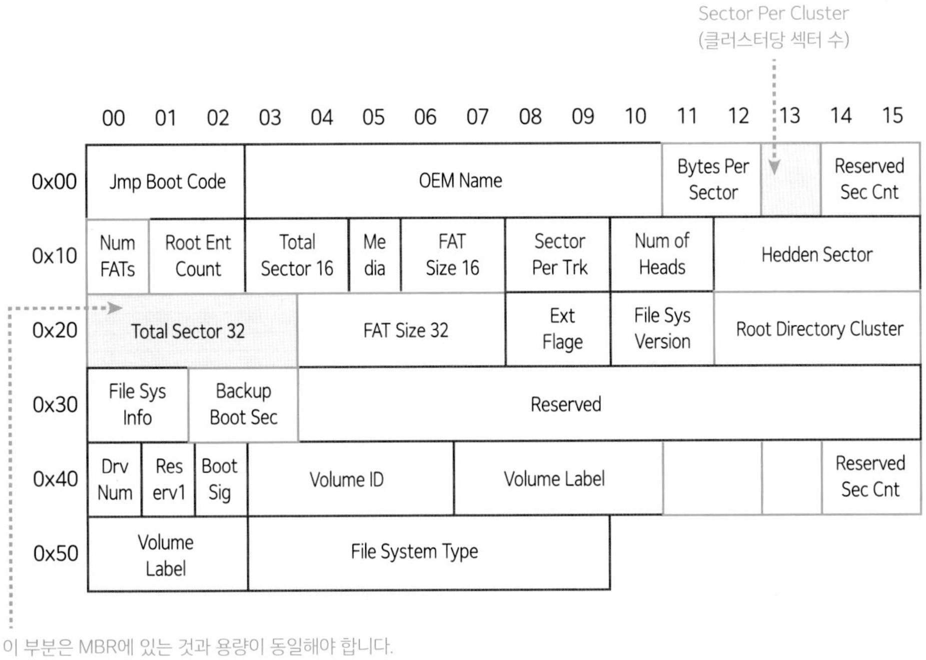

Sector Per Cluster
(클러스터당 섹터 수)
00 01 02 03 04 05 06 07 08 09 10 11 12 13 14 15
0x00
Jmp Boot Code
OEM Name
Bytes Per Sector
Reserved Sec Cnt
0x10
Num FATs
Root Ent Count
Total Sector 16
Me dia
FAT Size 16
Sector Per Trk
Num of Heads
Hedden Sector
0x20
Total Sector 32
FAT Size 32
Ext Flage
File Sys Version
Root Directory Cluster
0x30
File Sys Info
Backup Boot Sec
Reserved
0x40
Drv Num
Res erv1
Boot Sig
Volume ID
Volume Label
Reserved Sec Cnt
0x50
Volume Label
File System Type
이 부분은 MBR에 있는 것과 용량이 동일해야 합니다.

그림 5.14 BR 구조

5.11 NTFS 파일 시스템 구조 파악

■ NTFS와 FAT 차이점

변경일지 기능	파일의 작업 중 문제 발생 시 롤백의 기능 $log파일이 이 역할을 한다.
암호화	EFS(Encrypting FileSystem) ,NTFS 5.0 이후 버전부터 지원 한다.
디스크 쿼터 기능	Zip 파일 포맷으로 유명한 LZ77의 변형된 방식 사용. 공간의 효율성이 있지만, 성능이 떨어진다.
sparse 파일지원	파일의 내용 대부분이 0으로 채워져 있을 경우 해당 파일의 정보만을 담는 파일, 요약본 ? 압축 할 때 사용한다.
데이터 복구기능	FAT에는 데이터 복구기능 자체가 없는데 반해 NTFS에는 트랜잭션단위로 작업하다가 문제가 생기면 그 전에 완료된 작업으로 롤백하는 기능이 있다.
ADS(Alternate Data Stream)	다중 데이터 스트림, 하나의 파일에 하나 이상에 데이터를 담을 수 있다는 의미가 있다.

■ 모든 데이터가 파일의 형태로 관리

$MFT에 모든 데이터에 대한 정보가 관리 되므로 분석하면 모든 데이터를 알아 볼 수 있다.

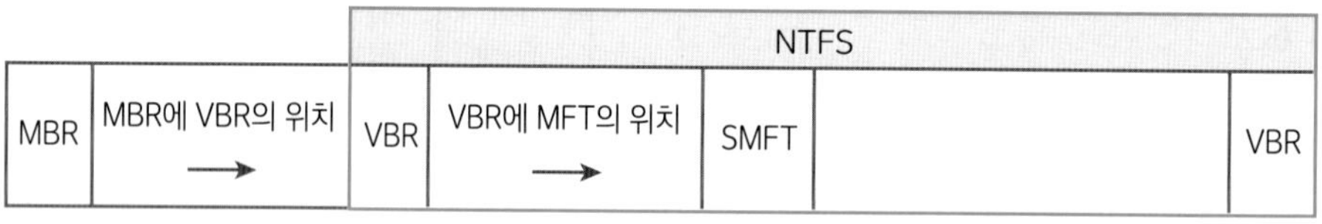

| MBR | MBR에 VBR의 위치 → | VBR | VBR에 MFT의 위치 → | SMFT | NTFS | VBR |

그림 5.15   NTFS 구조

BR/VBR **(Boot Record)**	• windows를 부팅시키기 위한 기계어 코드와 NTFS의 여러 설정값이 있다. • OS가 NTFS를 인식하기 위한 시작점이 된다. • 엄밀히 따지면 NTFS는 부트 레코드 영역까지도 파일의 형태로 관리하고 있다고 볼 수 있다.
MFT **(Maste File Table)**	• 볼륨에 존재하는 모든 파일과 디렉토리의 정보를 담고 있는 테이블 • MFT도 데이터 영역에 존재하는 파일로 관리되며, 볼륨에 어디에 위치해도 상관없다. • MFT Entry라고 불리는 자료들의 집합으로 이루어져 있다.
MFT Entry	• 0~15번까지 16개의 MFT Entry는 파일 시스템을 관리하는 중요한 정보를 담고 있는 시스템 파일용으로 예약되어 있다. 이런 메타데이터 파일은 일반 파일과 구분해서 $MFT , $BadClus처럼 앞에 $를 붙여 표기한다.
데이터 영역	• 모든 영역이 클러스터로 관리 된다. 4KB로 지정.

연 습 문 제

Q1.   파티션에 대해 설명하시오.

Q2.   MBR 구조(Microsoft MBR)에 대해 설명하시오

Q3.   아래 표는 DOS 파티션 구조를 나타내고 있다. 빈칸을 채우시오.

위치(Byte)	크기(Byte)	설명
0		
446		
462		
478		
494		
510		

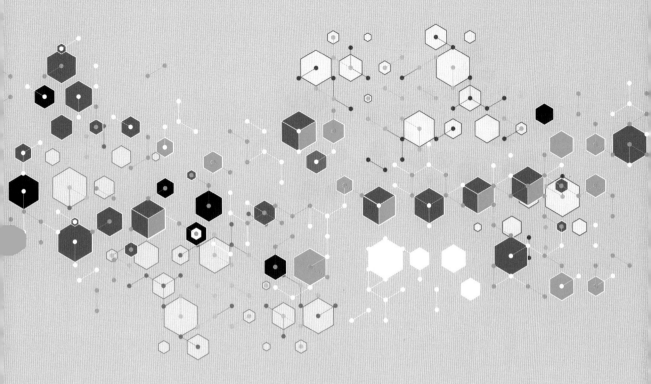

CHAPTER

6

파일 흔적 분석

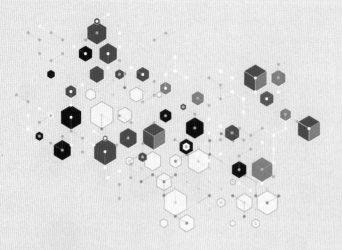

6.1 삭제된 파일을 FTK Imager에서 확인하기

6장에서는 USB에 여러 가지 타입의 파일을 저장하고 이러한 파일 중 임의로 파일을 삭제한 후 분석 툴을 통해 그 흔적이 실제 남아있는지에 대해 확인해보고자 한다.

그림 6.1   실험을 위해 USB 저장소에 다양한 파일을 생성

그림 6.1에서처럼 해당 컴퓨터에서 "SELFIC(G:)"는 USB 메모리를 마운트한 상태이며, 메모리에는 JPG, xlsx, pdf, txt, hwp, 폴더와 같은 여러 가지 파일이 저장되어있음을 확인할 수 있다.

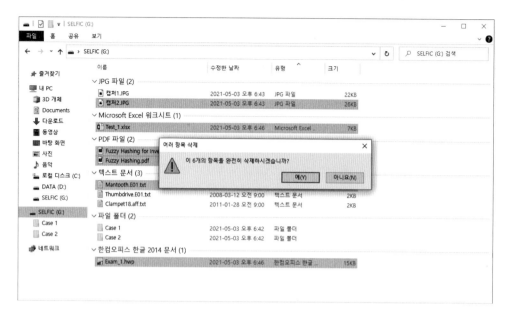

그림 6.2   파일 선택 후 삭제(전)

그림 6.3   파일 선택 후 삭제(후)

그림 6.2, 그림 6.3에서와 같이 확장자(파일 타입별)로 파일을 선택한 후 해당 파일들을 삭제하였으며, 현재 상태로 FTK Imager를 이용하여 원본을 이미징 후 생성된 사본을 이용하여 파일들의 흔적을 분석해보도록 한다.

원본을 이미징 하기 위해 먼저 아래 그림 6.4에서처럼 FTK Imager를 실행 한 후 "파일 → Add Evidence Item" 메뉴를 선택한다.

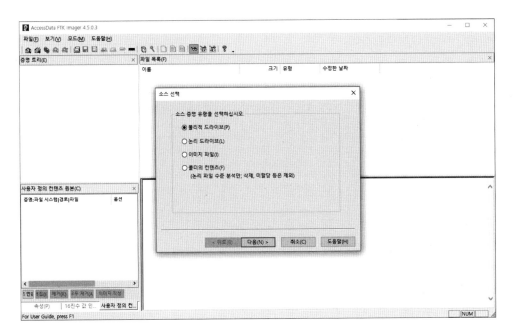

그림 6.4   이미지 소스 선택 화면

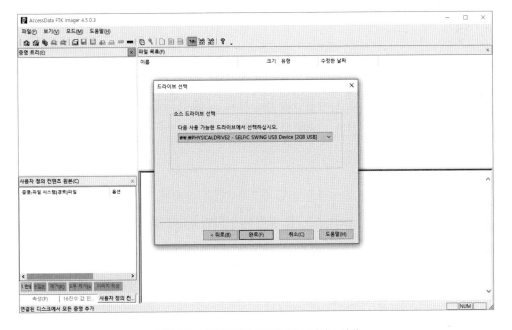

그림 6.5   사본생성을 위한 USB 드라이브 선택

다음 화면으로는 그림 6.5와 같은 화면이 나타나며, 여기에서는 원본을 생성할 드라이
브를 선택(USB 드라이브)한다.

사본 이미지 생성이 완료되었다면 해당 이미지를 그림 6.6에서처럼 FTK Imager를 통
해 해당 이미지를 로드한다.

그림 6.6   사본이미징을 불러온 화면

그림 6.6에서 확인할 수 있듯이 사본 이미지는 USB 드라이브이며, FTK Imager에서는
해당 드라이브에 저장되었던 파일들의 리스트와 삭제 흔적을 보여주고 있다. 이미지
내에 파일로 존재하는 부분은 일반적인 아이콘으로 표시되면 반면에 삭제된 부분은 아
이콘에 "X"표시로 되어있다.

삭제된 파일을 추출하기 위해서는 그림 6.7에서처럼 삭제된 파일을 클릭하고 마우스
오른쪽 버튼을 누르면, Export_Files를 클릭하고 그림 6.8에서처럼 해당 파일들을 저장
할 곳을 지정한 후 추출을 진행한다.

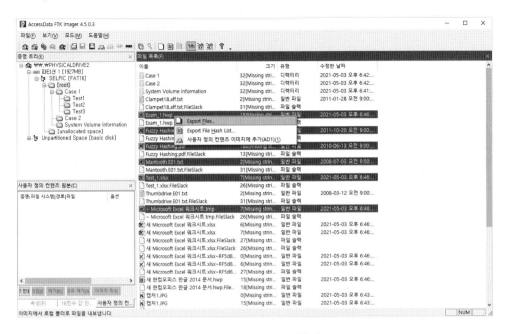

그림 6.7   삭제된 파일을 추출하기

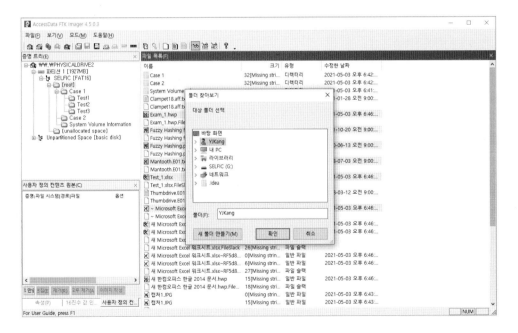

그림 6.8   추출할 파일들을 저장할 경로 지정

그림 6.9는 성공적으로 파일을 추출하면 나타나는 메시지이며, 추출한 파일들을 확인하기 위해, 기존의 USB 드라이브에 그림 6.10에서처럼 "복원 확인 결과" 폴더를 생성후 확인해 보았다. 추출한 파일들이 정상적으로 나타나고 있음을 확인할 수 있다.

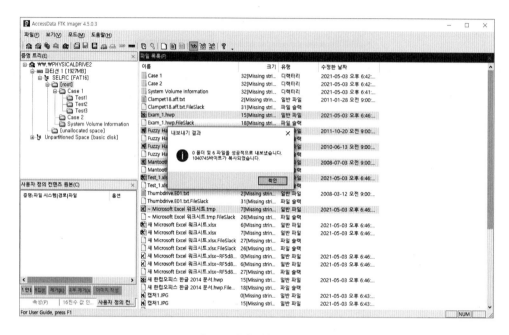

그림 6.9   추출하기 성공 메시지

그림 6.10   추출한 파일 확인

Q1. 삭제된 파일을 FTK Imager를 통해 복원하는 과정을 서술하시오.

Q2. FTK Imager를 통해 삭제된 파일을 확인하고, 그 파일명을 작성하시오. (여러 가지일 경우 전체를 작성)

Q3. 삭제된 파일을 복원하고, 그 파일의 내용을 서술하시오.

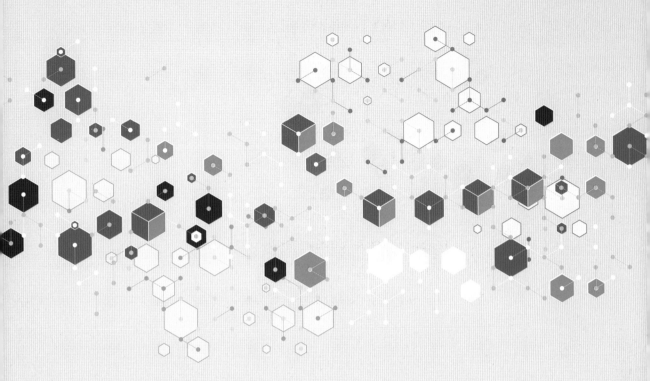

CHAPTER

7

FTK, EnCase를 이용한
파일 및 파티션 복원

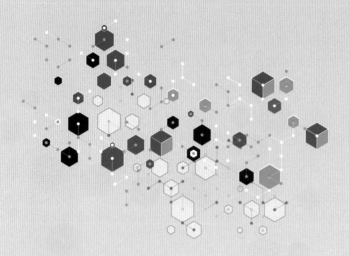

7.1 FTK File 복원

FTK로 파일 복원 실습을 진행하기 위해 기존에 사용하는 USB를 이용하여 FTK Imager로 이미지 파일을 만든다. 이미지를 만들 때 파일명은 사용자의 임의로 지정하며, 책에서는 해당 이미지 파일명을 "usbtest.E01"로 지정하여 생성하였다. 먼저, FTK를 실행시켜 아래의 그림 7.1에서와 같이 "Case Name"을 사용자 임의로 지정하고 OK 버튼을 눌러 다음 단계를 진행한다.

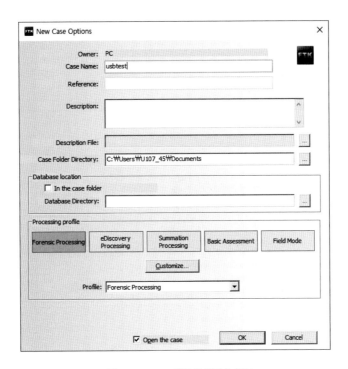

그림 7.1   FTK : 새로운 케이스 생성

다음 화면은 그림 7.2, 그림 7.3과 같으며, 만들어진 이미지 파일을 추가를 위해 "Acquired Image(s)"를 클릭하여 이미지 파일을 추가하고 다음으로 넘어간다.

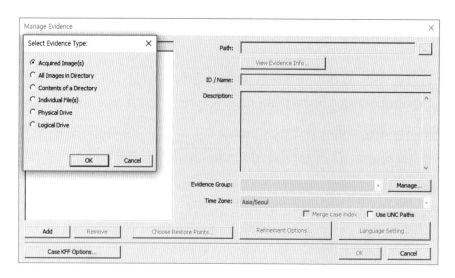

그림 7.2   이미지 추가를 위한 단계 1

그림 7.3   이미지 추가를 위한 단계 2

다음 화면은 그림 7.2와 그림 7.3을 확인할 수 있으며, "Manage Evidence"에서는 추가된 이미지의 경로 및 이미지 파일명을 확인하고 확인을 눌러 FTK에 이미지를 로드한다.

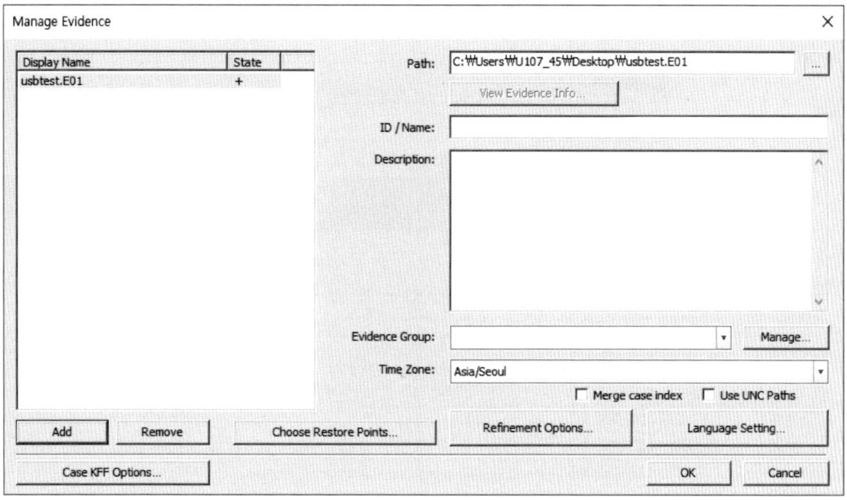

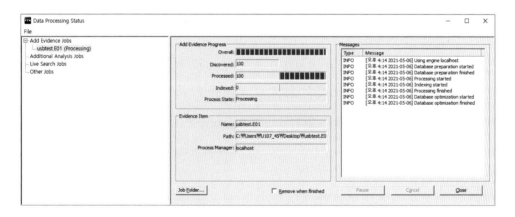

그림 7.4   로드한 이미지 확인

그림 7.5   로드한 이미지 분석

FTK에서 이미지를 로드 한 후 분석하는 과정은 그림 7.4, 그림 7.5와 같은 화면을 확인
할 수 있으며, 모든 분석을 완료하게 되면 이미지 파일로 만들었던 USB의 전체 정보들
을 확인할 수 있다.

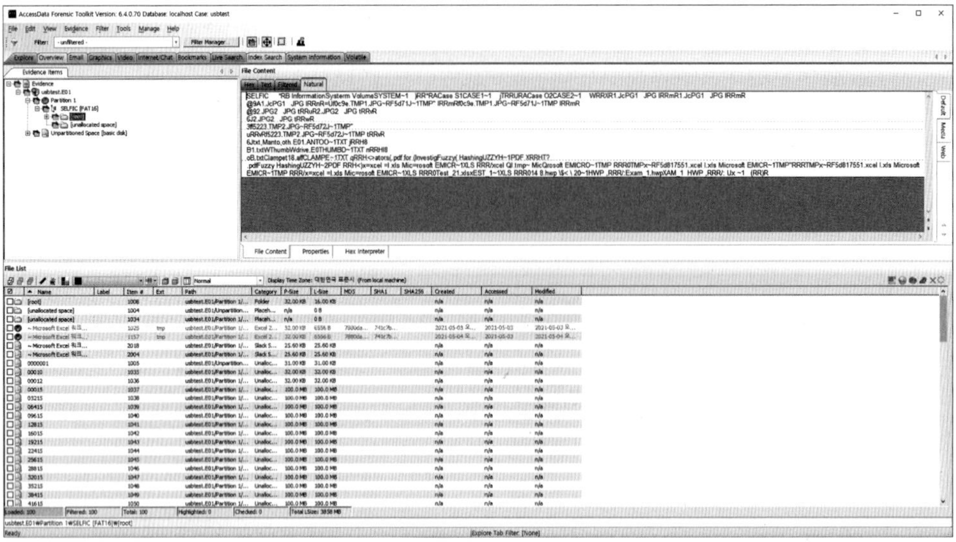

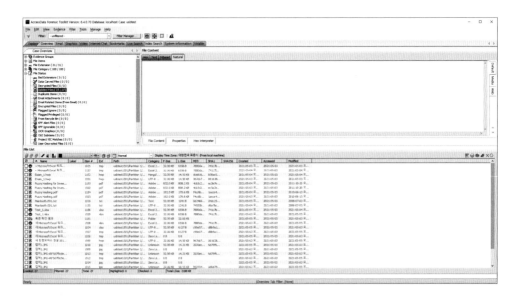

그림 7.6 이미지 분석 완료 후 화면

그림 7.6은 로드한 이미지 처리 과정을 마친 후 나오는 화면이며, 여기에서는 항목별로 분석하기 편하도록 1차 분류가 되어있는 상태이다. 여기서 우리는 USB에 삭제된 파일을 복원해보기 위한 목표가 있으므로 "Overview를 클릭 → File Status 클릭 →

그림 7.7 삭제흔적이 있는 파일 분석

Deleted Files" 순으로 클릭하여 삭제된 파일의 리스트를 보고, 복원할 파일이 리스트 안에 있는지 확인한다. 우리가 찾고자 하는 파일은 PDF 파일이며, 파일명은 "Fuzzy Hashing for Investigators" 이다.

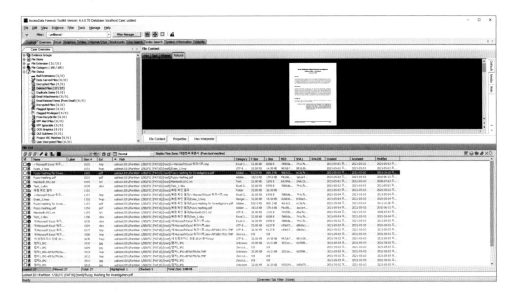

그림 7.8   Fuzzy Hashing for Investigators파일 상태 및 미리보기

그림 7.7, 그림 7.8에서와 같이 현재 복원하기 위한 파일을 찾았고 이를 복원하기 위해서는 파일에 마우스 오른쪽 버튼을 누르면 많은 기능이 나오는데, 이 중 그림 7.9에서처럼 "Export.."를 클릭하면 그림 7.10과 같은 화면이 나타날 것이며, 나타나는 창에서는 복원을 위한 다양한 옵션들이 나오게 된다. 여기서는 별도의 옵션을 선택하진 않고 저장할 경로만 지정한 후 OK 버튼을 눌러 복원을 진행한다.

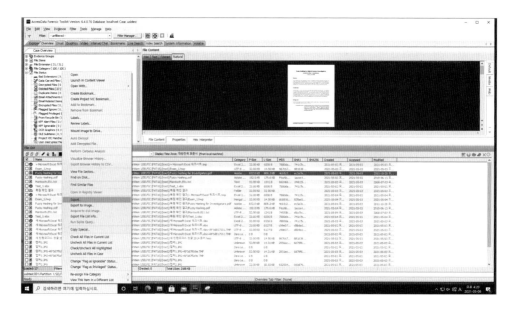

그림 7.9 "Export.." 메뉴 위치

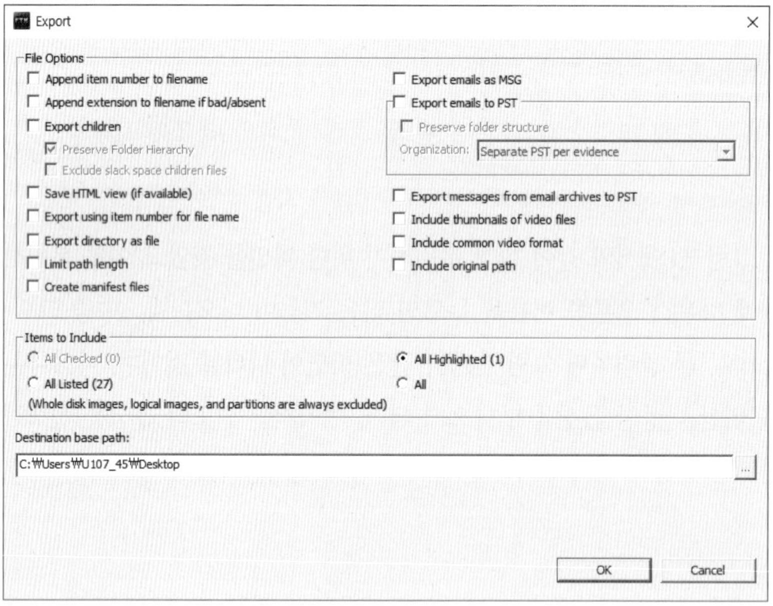

그림 7.10 복원을 위한 다양한 옵션

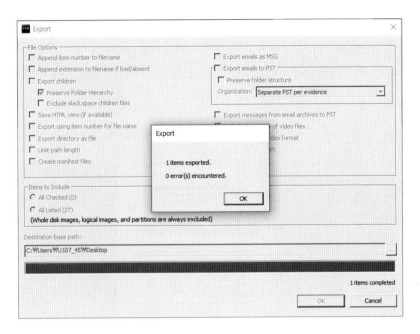

그림 7.11   파일 복원 완료 메시지

복원이 완료되면 그림 7.11과 같은 메시지가 나타나며, 지정한 경로에 파일이 복원되었는지 확인하고 그 파일을 열어서 파일에 문제가 없는지를 확인한다.

그림 7.12   복원된 파일 확인

그림 7.12는 복원된 파일이 사용자가 지정한 경로에 나타나 있음을 확인하는 그림이며, 해당 파일을 실행하게 되면 그림 7.13과 같이 파일이 정상적으로 열리는 것을 확인할 수 있다.

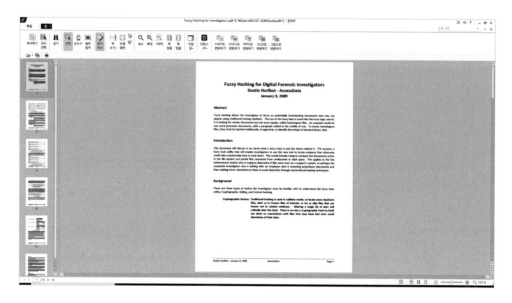

그림 7.13   파일복원 후 실행화면

7.2   Encase File 복원

FTK에서 진행한 파일복원 관련 내용은 EnCase에서도 진행할 수 있다. 그림 7.14, 그림 7.15에서처럼 FTK에서 사용했던 이미지 파일을 로드하여 USB의 전체 정보를 확인한다.

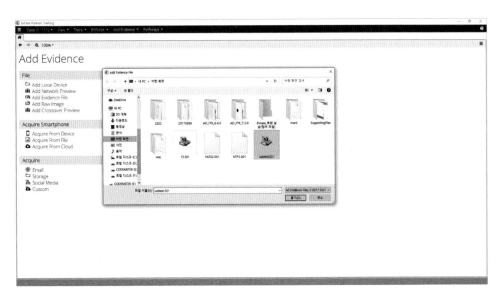

그림 7.14   EnCase에서 USB 이미지 로드

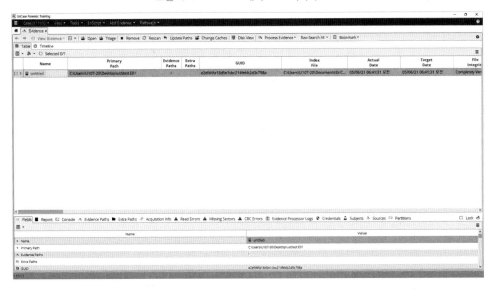

그림 7.15   이미지가 리스트에 추가된 화면

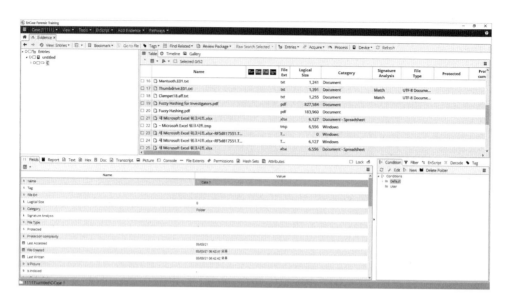

그림 7.16   이미지를 마운트하여 이미지 내부정보 확인

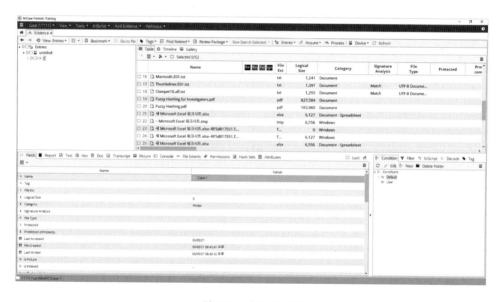

그림 7.17   파일 정보 확인

그림 7.16, 그림 7.17에서와 같이 로드된 이미지를 확인해 보면 파일 이름, 타입, 크기, 분류 등의 정보를 확인할 수 있으며, 기존에 저장되어있는 파일과 삭제된 파일까지 한 번에 볼 수 있다. 여기서 삭제된 파일을 구별하는 방법은 파일 리스트에서 파일 아이콘

의 오른쪽 아래에 빨간색으로 표기가 되어있고 저장되어있는 파일은 빨간색 표기 없이
일반적인 파일의 아이콘을 가지고 있다.

EnCase에서도 복원할 파일은 이전 FTK에서 복원했던 파일과 동일하게 "Fuzzy
Hashing for Investigators.pdf" 파일을 선택할 것이며, 복원을 위해 그림 7.18처럼 해
당 파일에 마우스 오른쪽 버튼을 클릭하여 "Entries → Copy Files"를 누른다.

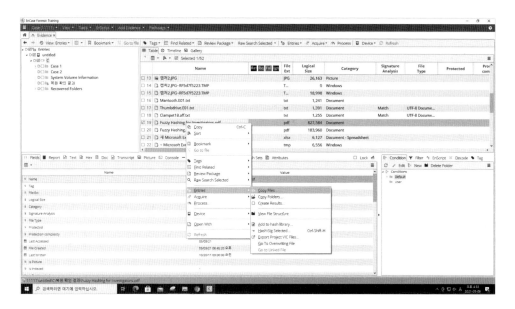

그림 7.18 복원을 위해 Copy Files 메뉴 선택

Copy File을 누르면 그림 7.19와 같은 옵션 창이 나타날 것이며, 여기에서 Highlighted
File를 클릭한 뒤 다음 버튼을 누른다.

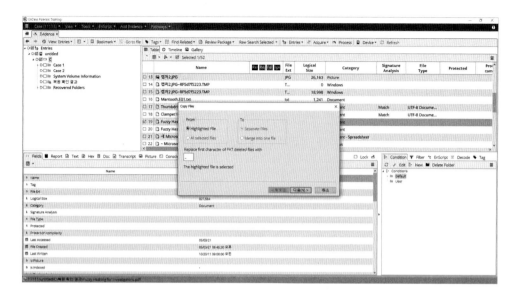

그림 7.19   Copy Files 화면

다음 화면은 그림 7.20과 같이 나타나며, 옵션 중 Copy에서는 "Logical File Only", Character Mask에서는 "None"을 선택하고 다음으로 진행한다.

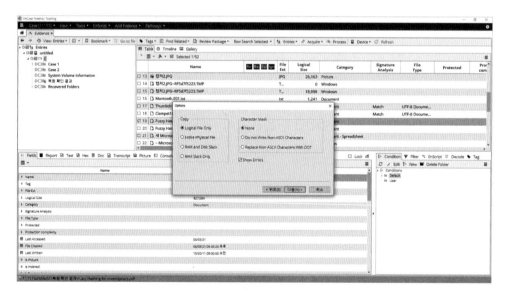

그림 7.20   옵션 선택 화면

마지막으로 나오는 화면은 그림 7.21에서처럼 Destination이며, 여기서는 복원할 파일의 경로를 지정하고 마침 버튼을 클릭한다.

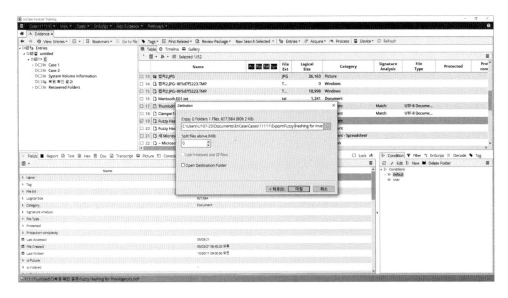

그림 7.21   Destination 화면

삭제된 파일이 복원되었는지 확인하기 위해 지정한 경로를 가서 확인하면 그림 7.22와 같이 복원을 진행했던 파일을 확인할 수 있다.

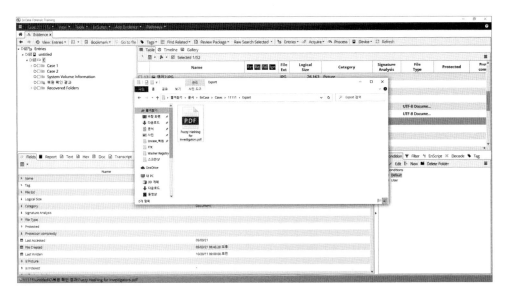

그림 7.22   복원된 파일 확인

7.3 FAT32 파티션 복원

이번에는 EnCase를 사용하여 지워진 FAT32 파티션을 복원해보는 과정을 알아보도록
한다. 그림 7.23은 FAT32 파일 시스템에서 이미징한 파일을 EnCase에 추가한 화면을
나타내고 있다.

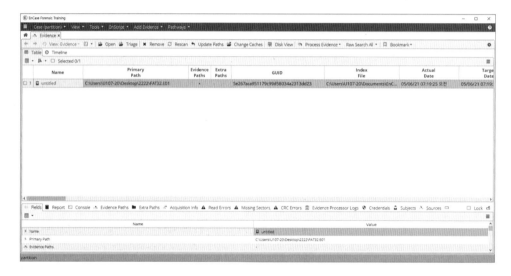

그림 7.23   FAT32 이미지를 추가한 화면

그림 7.24에서 보듯이 FAT32 이미지를 추가하고 Hex 값을 살펴보면 MBR이 존재하는
것을 알 수 있다. 그러나 일반적으로 많이 쓰는 "C" 드라이브문자가 발견되었으나 하위
폴더를 확인할 수 없는 상황이다. 그리고 그림 7.25에서처럼 첫 번째 볼륨을 찾아 이동
해보면 "disk melong"으로 올바른 BR이 아닌 것을 볼 수 있다.

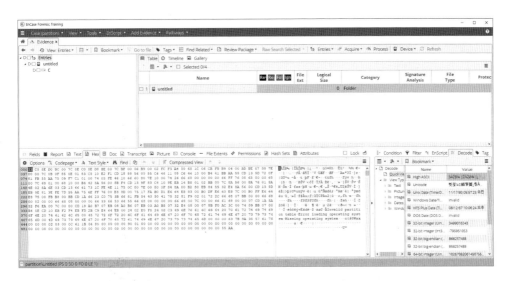

그림 7.24 공간할당이 안되어 있는 이미지

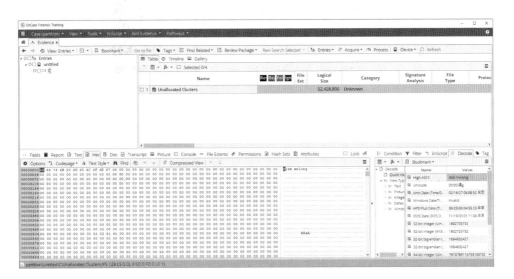

그림 7.25 BR이 깨진 드라이브

Encase에는 올바르지 못한 BR을 자동으로 복구하는 기능이 있다. 그림 7.26에서와 같이 올바른 BR을 찾기 위해 "EnScript → Case Processor"를 실행한다.

그림 7.26　BR 복구를 위해 Case Processor 실행

다음 화면은 그림 7.27에서처럼 나타나며, "Bookmark Folder Name"에 임의의 이름을 추가한다. 이때, 이 이름은 Bookmarks에 똑같이 적용된다.

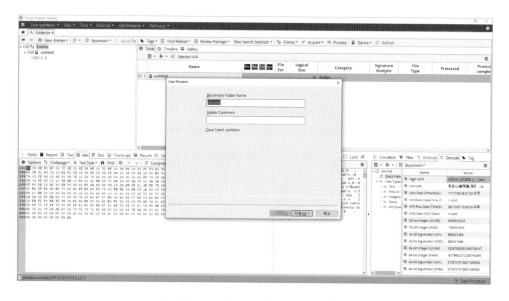

그림 7.27　Bookmark Folder Name 설정

다음 화면은 그림 7.28을 확인할 수 있으며, 현재 파티션 이미지를 추가했으므로 Modules에서 Partition Finder를 선택한다.

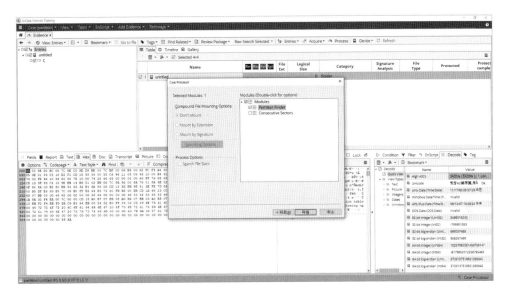

그림 7.28   Partition Folder 선택

위의 단계가 끝나면 Bookmarks를 열어야 한다. Bookmarks는 그림 7.29와 같이 "View → Bookmarks" 순서로 실행할 수 있다.

그림 7.29   Bookmarks 실행

Bookmarks를 실행하면 그림 7.30과 같이 실행된다. 이때, "Unallocated Clusters"라는 이름의 정보에서 FAT 형식의 파티션 섹터가 "134"인 것을 알 수 있다.

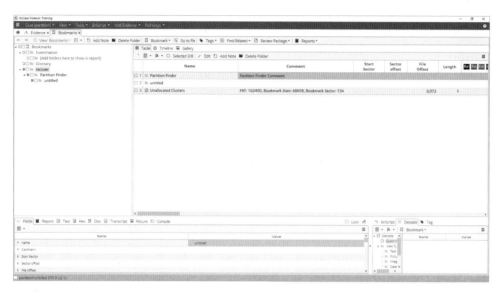

그림 7.30   북마크탭 정보 확인

해당하는 섹터로 접근하기 위하여 그림 7.31처럼 "Disk View"를 실행한다. 실행방법은 대상 하드디스크를 우클릭하고 "Device → Disk View"를 클릭힌다.

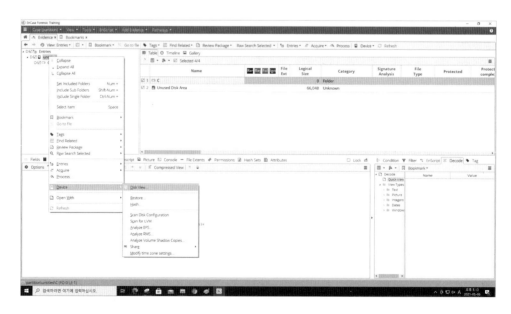

그림 7.31   Disk View 실행

Disk View를 실행하면 그림 7.32와 같은 화면을 볼 수 있으며, 첫 번째 섹터를 기준으로 데이터를 확인할 수 있다.

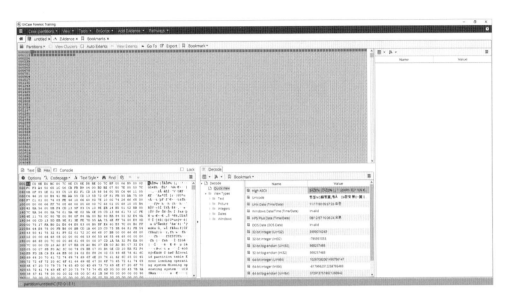

그림 7.32   Disk View 실행 화면

그러나 EnCase에서는 Hex 값을 직접 수정할 수 없으므로 별도의 "HxD"라는 툴을 사용하여 Hex 값을 수정해야 한다.

책에 수록된 "부록"을 참고하여 HxD 툴을 설치 후 그림 7.33, 그림 7.34에서처럼 파티션이 깨진 이미지를 불러오도록 한다.

그림 7.33   HxD에서 파티션이 깨진 이미지 불러오기 1

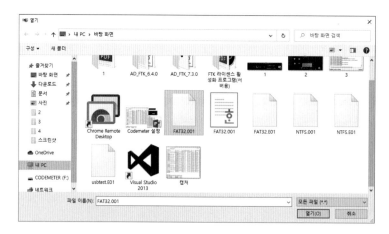

그림 7.34　HxD에서 파티션이 깨진 이미지 불러오기 2

이미지를 성공적으로 불러왔다면 그림 7.35처럼 화면이 나타날 것이며, MBR의 정보를 확인한다. 512Byte 크기를 가지는 MBR 정보 중 파티션 테이블에 해당하는 섹터를 확인한다.

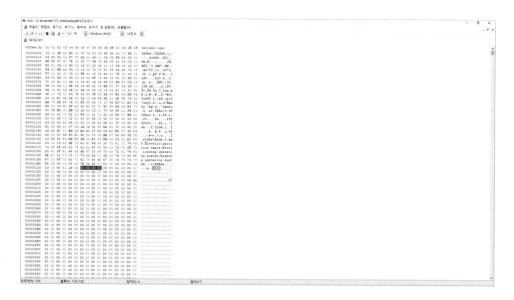

그림 7.35　HxD에서 이미지 파일을 불러온 후 MBR 확인

해당 정보를 이용하여 첫 번째 볼륨의 섹터 위치를 확인하면 그림 7.36과같이 해당 섹터의 정보가 손상된 것을 확인할 수 있다.

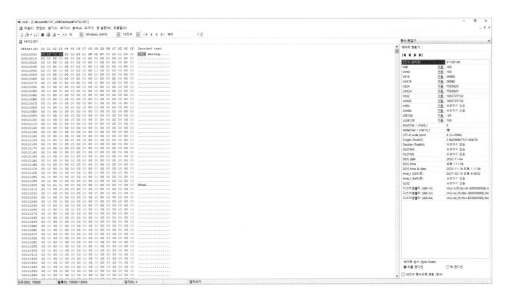

그림 7.36 파티션 정보 깨짐

FAT32는 각 볼륨의 마지막 섹터에 BR을 저장하므로 계산을 통해 해당 볼륨의 마지막 위치를 계산하고 복사할 수 있다. [그림 7.37 참조]

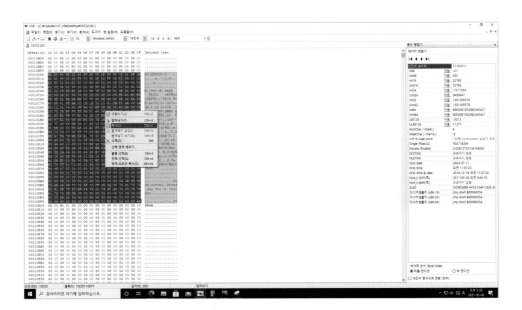

그림 7.37 FAT32 BR 백업본 위치

이후 볼륨의 처음으로 돌아와 해당 파티션 정보가 있는 곳에 붙여넣기 쓰기를 수행한다. [그림 7.38 참조]

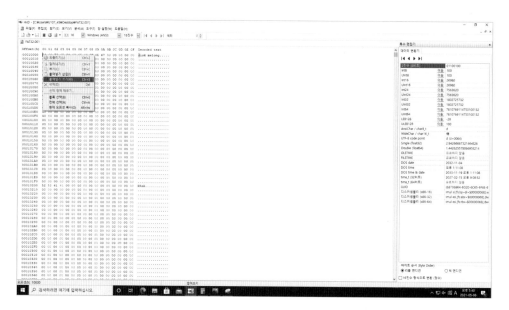

그림 7.38   파티션 정보 붙여넣기 쓰기

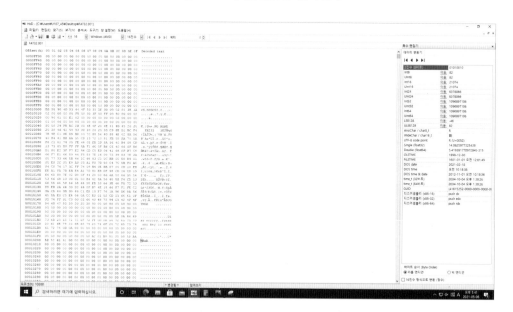

그림 7.39   파티션 정보가 변경된 값 표시

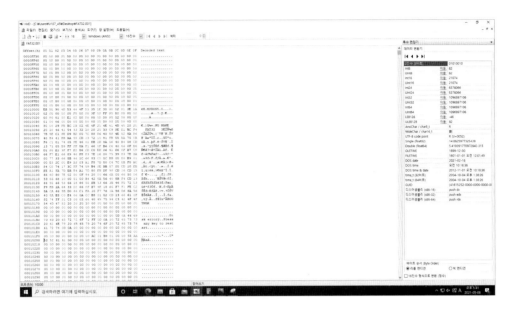

그림 7.40　변경된 내용 저장 후 화면

그림 7.39와 같이 수정된 값은 빨간색으로 표시 되며, 수정된 값을 적용하기 위해서는 해당 이미지를 다시 저장하면 된다. 수정된 값이 반영이 잘 됐다면 그림 7.40과 같이 빨간색으로 표시됐던 부분이 검은색으로 다시 표시됨을 확인할 수 있다.

모든 작업이 끝났으면 결과를 확인해 보도록 한다. 확인은 FTK Imager와 EnCase 각각 이미지를 로드하여 결과를 살펴본다. 그 결과 그림 7.41, 그림 7.42와 같이 파티션이 복원됐음은 확인할 수 있다.

그림 7.41   FTK Imager에서 확인한 결과

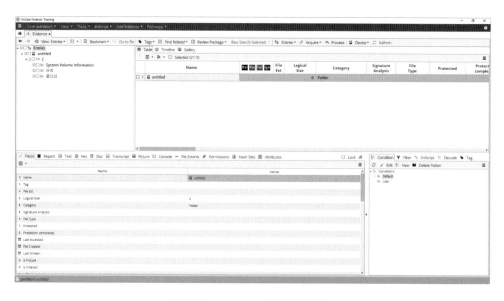

그림 7.42   EnCase에서 확인한 결과

7.4   NTFS 파티션 복원

이번에는 NTFS 파티션 이미지를 이용해 해당 파티션을 복원해보기로 한다. 먼저 NTFS 이미지를 그림 7.43과 같이 EnCase에 로드하여 정보를 확인한다.

그림 7.43   NTFS 이미지를 로드한 EnCase 화면

그림 7.44   파티션 영역의 정보

이 이미지도 이전 FAT32에서와 동일하게 "C" 드라이브는 존재하지만 내용이 확인되지
않고 있다[그림 7.44 참조]. 먼저 그림 7.45에서처럼 MBR을 확인하고 첫 번째 볼륨의
위치를 확인하고 해당 섹터로 이동했다. 이동한 결과 BR이 손상된 것을 볼 수 있다.

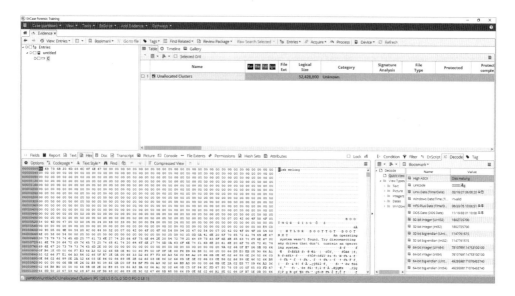

그림 7.45   손상된 파티션 확인

손상된 BR을 확인을 위해 상단 메뉴에서 "EnScript → Case Processor"를 실행한다.

그림 7.46   Case Processor 실행

FAT32에서 했던 것과 마찬가지로 여기서도 동일하게 "Bookmark Folder Name"에 임의의 이름을 작성한다. 이름은 Bookmarks에 동일하게 사용되므로 기억해야 한다.

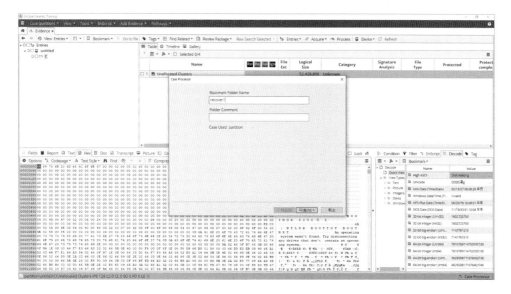

그림 7.47　Bookmark Folder Name 설정

파티션을 포함하기에 Modules에서 Partition Finder를 선택한다[그림 7.48 참조].

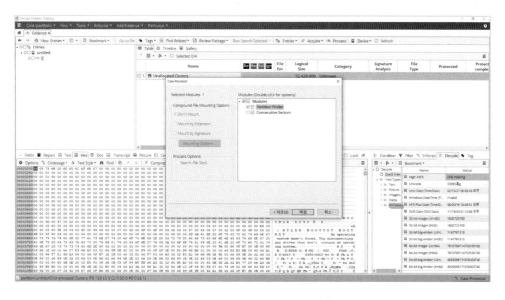

그림 7.48　Partition Finder 선택

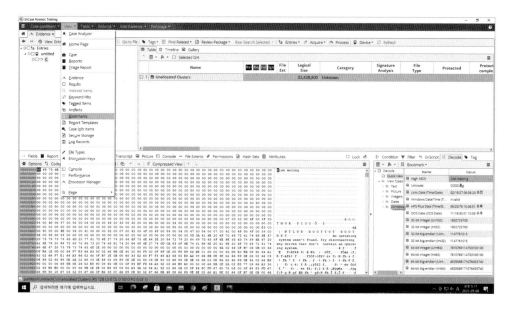

그림 7.49　Bookmarks 실행

다음으로 검색된 섹터 정보를 찾기 위해 Bookmarks를 실행하고[그림 7.49 참조], Bookmarks를 실행하면 그림 7.50과 같이 실행된다. 이때, "Unallocated Clusters"라는 이름의 정보에서 NTFS 파티션과 해당하는 섹터 위치를 확인할 수 있다.

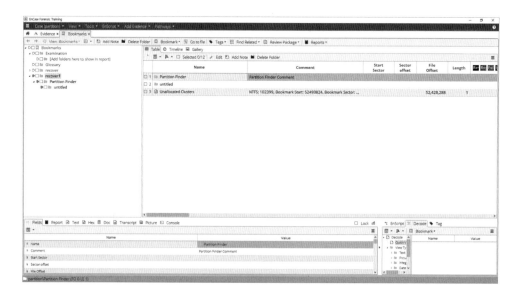

그림 7.50　NTFS 파티션 정보

해당하는 섹터 정보를 확인하기 위해 Disk View를 실행한다[그림 7.51, 52참조].

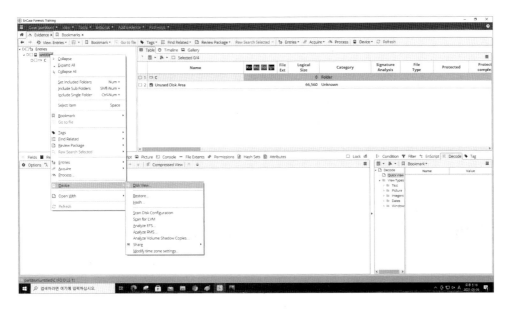

그림 7.51   DiskVeiw 실행

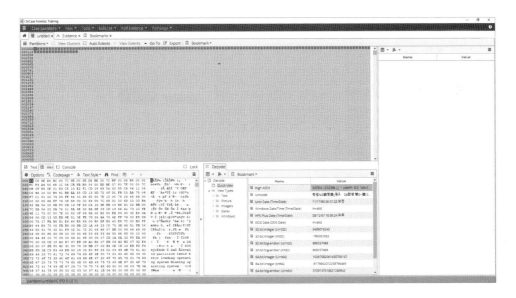

그림 7.52   Disk View 실행 화면

NTFS도 FAT32에서와 마찬가지로 HxD를 통해 파티션을 복원해보도록 한다. 먼저 그림 7.53, 그림 7.54처럼 NTFS 이미지를 HxD에 불러오도록 한다.

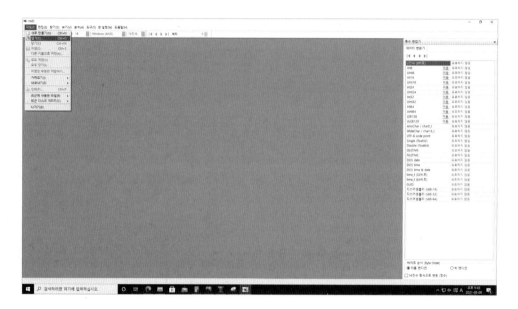

그림 7.53   NTFS 이미지를 HxD에 불러오기

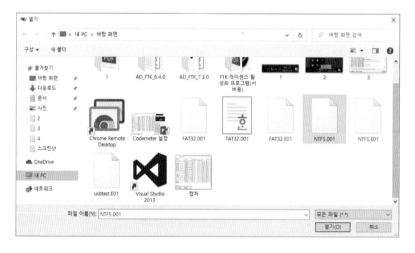

그림 7.54   NTFS 이미지 선택

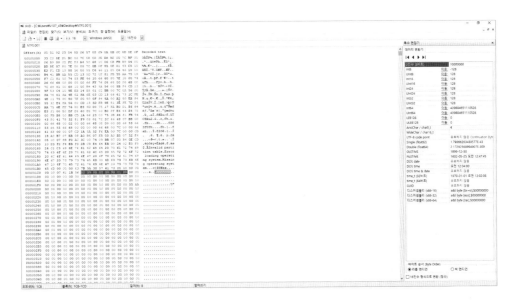

그림 7.55   파티션 정보 확인

그림 7.55에서처럼 해당 파티션 정보를 확인하여 파티션 위치로 이동한다.

그림 7.56   손상된 파티션 정보

파티션 정보가 있는 섹트로 이동한 화면은 그림 7.56과 같으며 현재 BR이 손상되어 있음을 확인할 수 있다.

NTFS는 마지막 섹터에 백업 정보가 저장되어 있으며, 해당 섹터로 찾아가면 파티션 정보가 있는 데이터가 존재하는 것을 볼 수 있다.

그림 7.57   NTFS 파티션 정보 백업 위치

그림 7.58처럼 해당 백업 데이터 영역을 블록 지정하여 복사한다.

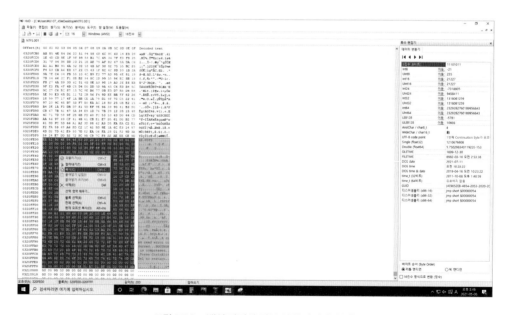

그림 7.58   백업 파티션 정보 영역 지정 후 복사

그림 7.59에서와 같이 손상됐던 BR영역에 붙여넣기 쓰기를 실행한다.

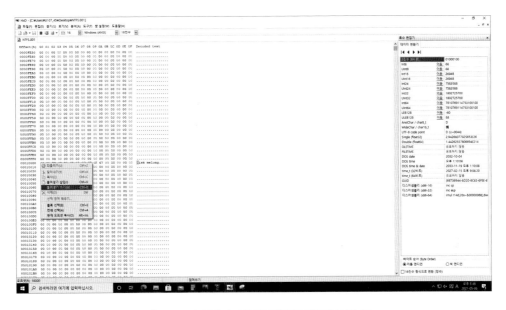

그림 7.59   손상된 파티션 정보에 백업 데이터 붙여넣기

복원 작업 내용을 저장하기 위해 그림 7.60과 같이 "파일 → 모두 저장"을 클릭한다.

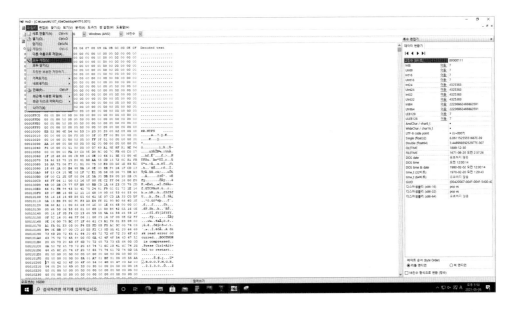

그림 7.60   파티션 복원 작업내용 저장

그림 7.61   파티션 복원 후 FTK Imager에서 정보 확인

그림 7.62   파티션 복원 후 EnCase에서 정보 확인

결과는 그림 7.61, 62처럼 FTK Imager, EnCase로 확인했다. 결과적으로 해당 파티션 (NTFS)가 복원되었으며, 파티션 내에 저장되어 있는 일부 데이터가 나타났음을 확인하였다.

Q1. HxD를 사용하여 이미지 파일 "FAT32.vhd" 파티션을 복구하시오.

Q2. HxD를 사용하여 이미지 파일 "NTFS.vhd" 파티션을 복구하시오.

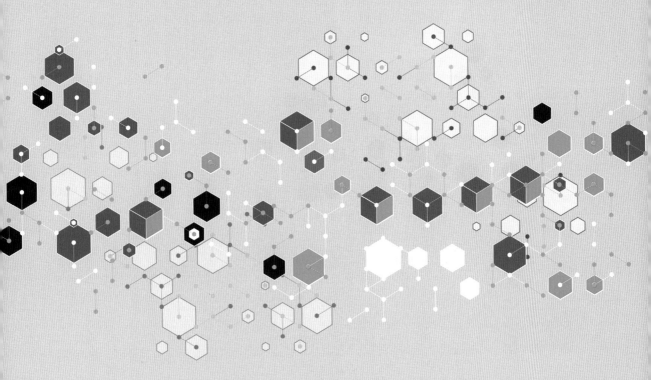

CHAPTER

8

시나리오로 알아보는 디지털 포렌식

CHAPTER 8장에서는 시나리오를 통한 디지털 포렌식 과정을 알아보도록 한다. 먼저 디지털 포렌식을 통해 분석하기 전 시나리오 내용을 이해한 후 해야 할 분석이 무엇이 있는지 생각해 보도록 하며, 이후 분석 도구를 이용해 사전준비 및 어떤 정보를 분석할 것인지 파악한 후 해당 부분을 분석하여 시나리오를 풀어나가도록 한다.

시나리오

최근 "A" 기업에서는 내부직원이 기업 기밀정보를 유출한 것으로 의심하고 있다. 이에 따라 "A" 기업에서는 내부자의 행동인지 확실하게 알아내기 위해 디지털 포렌식을 통해 해당 사건을 조사하려 한다. 이와 관련하여 먼저 네트워크 정보를 파악하여 의심스러운 IP를 찾았으며, 의심되는 IP는 "A" 기업 내부에 있는 직원 PC인 것으로 확인되었다. "A" 기업은 해당 직원 PC에서 유출된 자료(ValidateCreditCard.zip)와 관련된 파일의 삭제 및 변조된 흔적이 있는지에 대해 조사를 의뢰하였다.

시나리오와 같이 의심되는 내부직원 PC를 조사하기 위해 먼저 원본 훼손을 방지하기 위해 해당 PC에 있는 디스크를 이미징해야 한다. 이미징한 사본 파일은 분석 도구를 통해 불러오고 해당 내용과 관련된 부분이 있는지를 분석한다.

❶ 해당 직원의 PC를 조사하기 위해 이미징한 파일을 분석 도구를 통해 불러오도록 한다. 먼저 아래 그림 8.1에서와 같이 증거 파일(이미징 파일)추가 메뉴를 시작으로 획득한 사본 이미징 파일을 추가하는 과정을 알아보도록 한다.

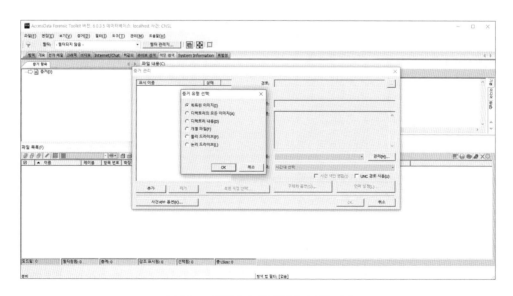

그림 8.1   이미징 파일을 추가하기 위한 단계

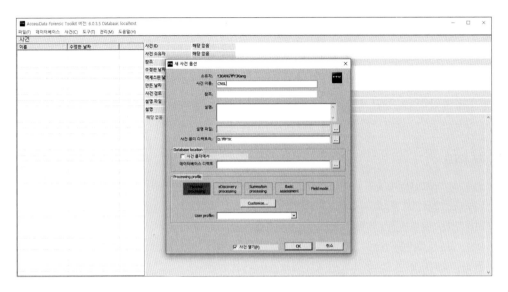

그림 8.2   새 사건 관련된 정보 입력

그림 8.2에서는 사건과 관련된 정보를 입력하는 단계이며, 해당 항목에 관련된 정보를 입력하여 사건 정보를 작성한다.

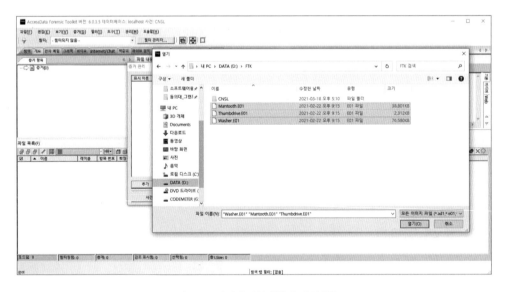

그림 8.3   이미징 파일 선택 후 추가하기

사건과 관련된 정보를 입력한 다음은 그림 8.3에서와 같이 이미징 파일을 추가한다. (이미징 파일은 최소 하나 이상을 선택해야 한다.)

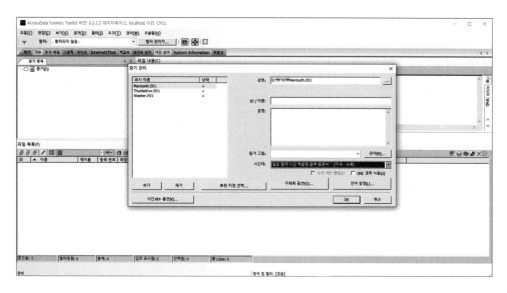

그림 8.4 표준 시간대 확인

추가한 이미징 파일은 증거 관리창 좌측에 표시가 되며, 이후 중요한 것은 그림 8.4에서처럼 해당 획득한 이미지 기준에 맞는 표준 시간대를 맞출 필요가 있다.

그림 8.5 FTK에 불러오기 위한 사전처리 작업

시간대까지 맞추고 다음 단계를 진행하게 되면 그림 8.5에서처럼 FTK에서 사전 처
리 단계를 진행한다. 사전처리 단계는 FTK에서 빠른 작업처리를 위해 해당 필터마
다 관련된 정보를 분류하는 작업이다.

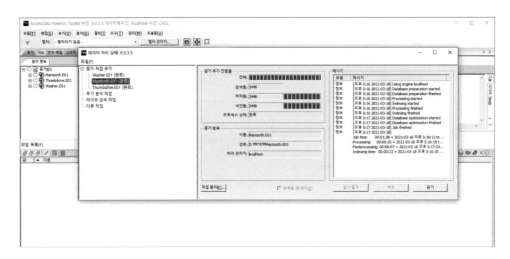

그림 8.6   사전처리 작업이 완료된 화면

사전처리 작업이 완료되면 그림 8.6에서처럼 작업 진행 스크롤이 끝까지 진행됨과
동시에 프로세스 상태가 "완료"인 것을 확인할 수 있으며, 검색된 부분과 처리 및
색인된 부분의 개수도 확인할 수 있다.

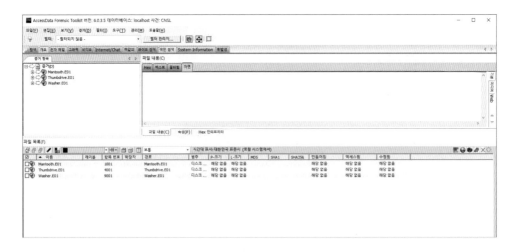

그림 8.7   모든 과정이 완료된 후 FTK에 이미징파일이 추가된 화면

끝으로 모든 처리가 완료되면 그림 8.7에서처럼 해당 이미지가 증거 항목에 나타나 있음을 확인할 수 있다. 각각의 이미지마다 좌측에 있는 "+"를 눌려 보다 이미지에 대한 자세한 정보들을 확인할 수 있다.

❷ 시나리오에서 관련된 파일 "ValidateCreditCard.zip"를 검색하기 위해 색인 검색을 이용하여 해당 파일이 있는지를 확인하는 동시에 만약에 해당 파일이 있다면 파일 경로를 알아보도록 한다. 색인 검색하기 위해서는 그림 8.8에서처럼 FTK 탭 중 "색인 검색"이라는 부분을 클릭하여 시작한다.

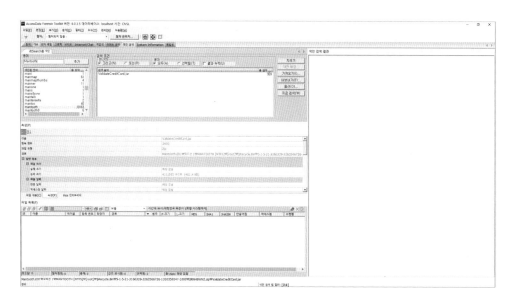

그림 8.8   색인 검색 화면

색인 검색 탭 화면에서 검색어 추가를 위해 좌측 용어란에 "Mantooth"와 "Validate CreditCard"를 추가한다. 추가가 완료되면 그림 8.9에서처럼 모든 파일 포함 옵션을 선택 후 검색을 시작한다.

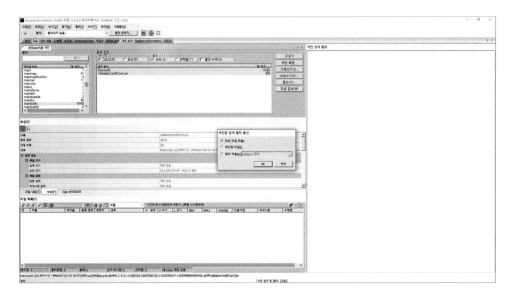

그림 8.9   색인 검색어 추가

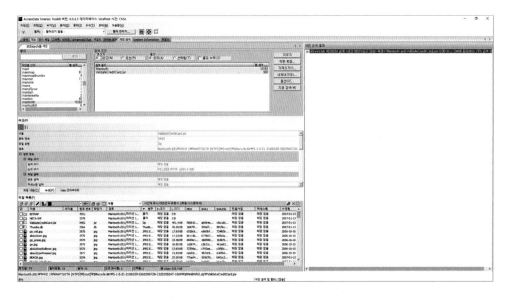

그림 8.10   색인 검색 결과 1

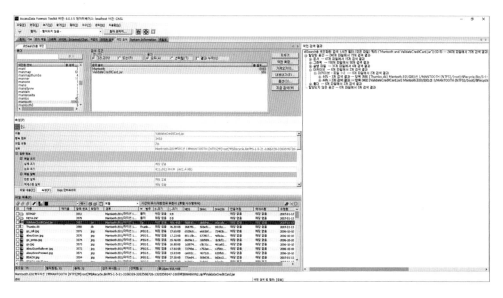

그림 8.11 색인 검색 결과 2

색인 검색이 완료되면 그림 8.10, 8-11처럼 화면이 나타난다. 먼저 그림 8.10에서 색인 검색 결과로 "240"개 파일에서 "73"개의 검색 결과가 나왔다는 것을 확인할 수 있으며, 여기에서 "+"를 눌러 상세 정보를 확인해보니 그림 8.11에서처럼 의심되는 파일(ValidateCreditCard.jar) 1개를 찾을 수 있었다.

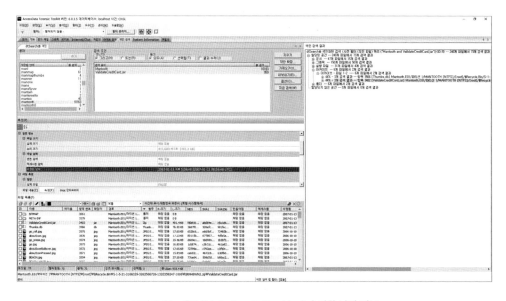

그림 8.12 "ValidateCreditCard.jar" 수정한 날짜 정보

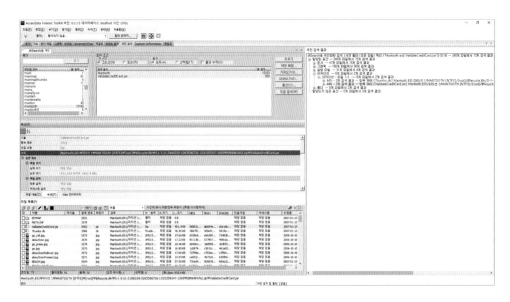

그림 8.13   "ValidateCreditCard.jar" 파일 경로 확인

그림 8.12에서 해당 파일에 대해 수정한 날짜 정보를 확인했으며, 그림 8.13에서는 해당 파일 경로를 확인할 수 있다.

❸ 유출된 파일이 정상적인 파일이 아님을 확인하였으며, 이로 인해 해당 파티션에 대해 변조된 파일이 있는지를 추가로 확인한다.

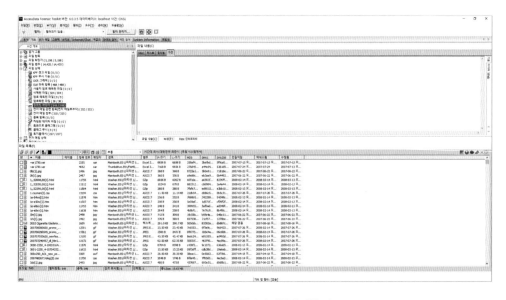

그림 8.14   잘못된 확장자 파일에 대한 리스트

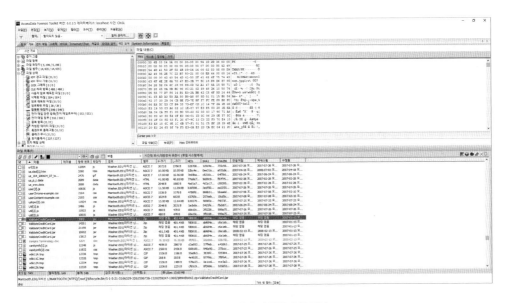

그림 8.15   해당 파일에 대한 정보

그림 8.14, 그림 8.15에서처럼 "ValidateCreditCard.jar" 파일이 원래 확장자와 현재
확장자가 다른 파일을 확인하였으므로 추가로 다른 파일들도 이렇게 확장자를 바
꾸거나 혹은 변조된 부분이 있는지 추가로 검색하였다. 검색 결과로 549개의 잘못
된 확장자가 있다고 검색되었으며, 문제의 파일인 "ValidateCreditCard.jar"는 zip의
확장자가 원본임을 확인하였다.

❹ 검색 중 추가로 확인된 파일 정보 "congrats_75x75[1].jpg"에 대한 추가조사이다.
   해당 파일도 확장자는 jpg로 나타났지만 확인해 본 결과는 bmp 파일인 것으로 확
   인되었다. 아래 그림 8.16에서처럼 해당 파일을 검색 리스트에 추가 한다.

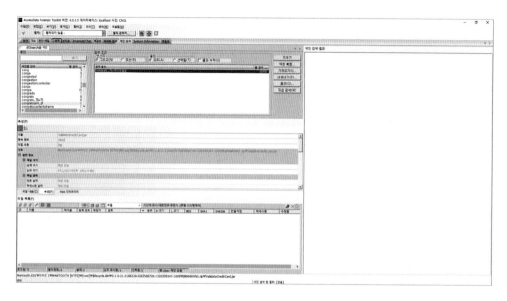

그림 8.16 "congrats_75x75[1].jpg" 파일 색인검사

리스트에 추가했다면 그림 8.17과 같이 이전과 마찬가지로 모든 파일 포함 옵션을
선택하고 "OK" 버튼을 눌러 다음 단계로 진행한다.

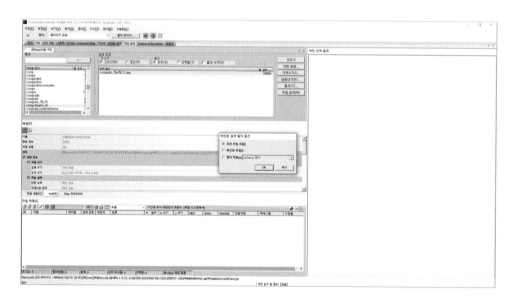

그림 8.17 "congrats_75x75[1].jpg" 리스트 추가 후 모든 파일 포함 옵션 선택

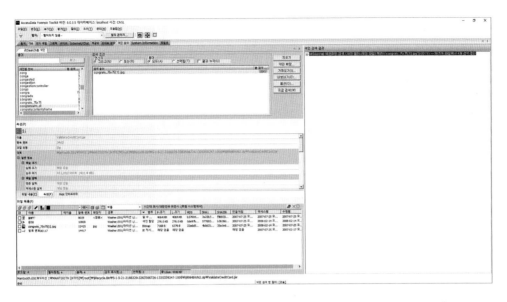

그림 8.18 색인 검색 결과

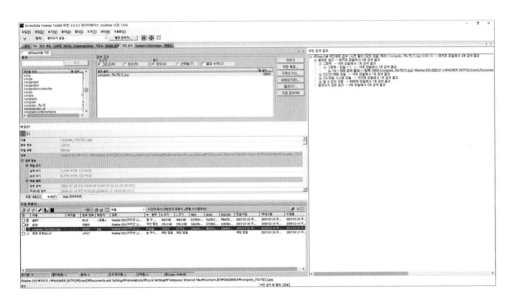

그림 8.19 색인 검색 결과(자세한 정보)

그림 8.18에서와 같이 모든 작업이 완료되었으며, 총 6675개의 파일 중 4개의 검색 결과가 있음을 알 수 있다. 결과에 대한 자세한 정보는 그림 8.19에서처럼 해당 파일에 대한 자세한 정보를 확인할 수 있었으며, 이 파일의 경우 현재 확장자가 jpg로 지정되어 있었지만, 원본은 bmp임을 확인할 수 있었다.

❺ EFS로 암호화가 된 파일이 있는지 추가 검색을 실시한다. EFS로 암호화된 파일이 있는지 확인하기 위해서는 이전과 동일한 방법으로 검색 색인에 서 EFS를 리스트에 추가한 후 나온 검색 결과를 통해 확인해보도록 한다. 검색을 위해 그림 8.20에 서처럼 먼저 "EFS"를 리스트에 추가한다.

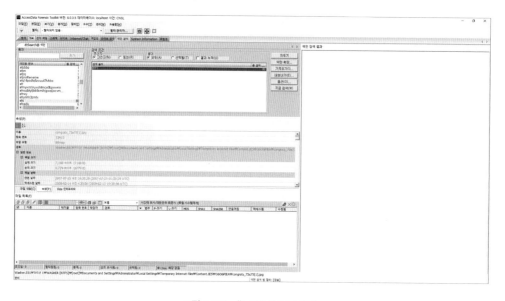

그림 8.20   "EFS" 리스트 추가

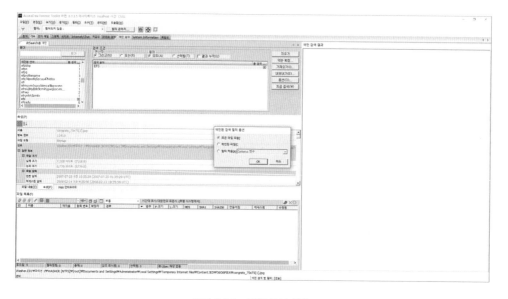

그림 8.21   검색 옵션 선택

검색 옵션은 이전과 동일하게 모든 파일 포함을 선택한 후 "OK" 버튼을 눌러 다음
단계로 진행한다.

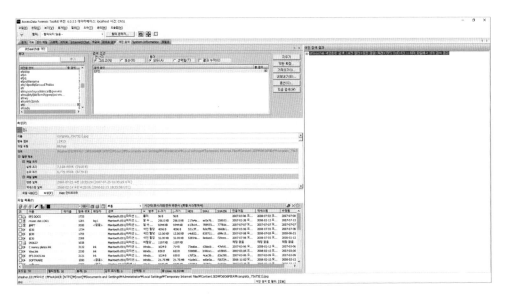

그림 8.22 검색 결과

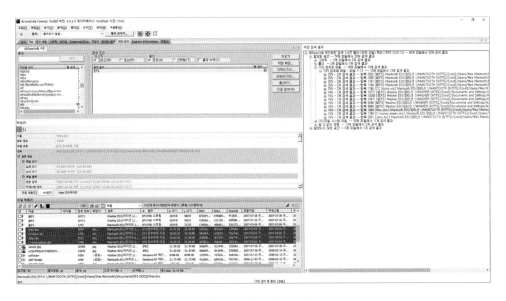

그림 8.23 자세한 검색 결과

그림 8.22는 EFS에 대한 검색 결과를 나타내고 있으며, 이에 대한 자세한 정보는
그림 8.23에서 확인할 수 있다. 검색 결과 EFS로 암호화된 파일은 4개가 있음을 확
인할 수 있다.

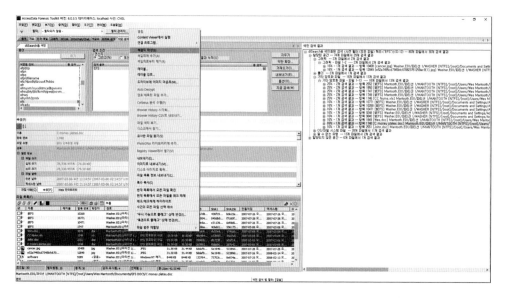

그림 8.24   책갈피 추가

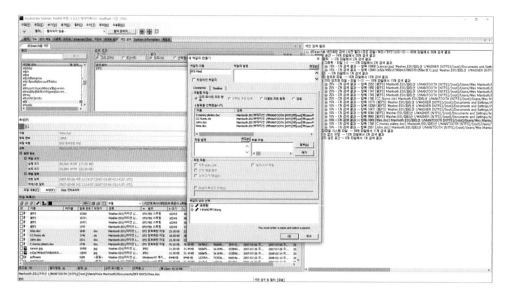

그림 8.25   책갈피 추가 2

해당 내용의 결과를 책갈피 하여 자료를 저장해보도록 한다. 먼저 책갈피를 지정하기 위해서는 그림 8.24에서처럼 책갈피 할 파일을 선택 후 마우스 오른쪽 버튼을 눌려 나오는 메뉴 중 "책갈피 작성"을 선택한다. 해당 메뉴를 선택하면 그림 8.25에서처럼 "새 책갈피 만들기"라는 창이 나타나며 책갈피 이름을 입력 후 "OK" 버튼을 눌려 마무리 한다.

❻ 검색 전체를 북마크

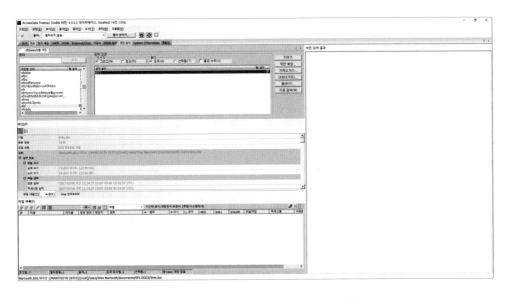

그림 8.26 리스트에 "EFS" 추가

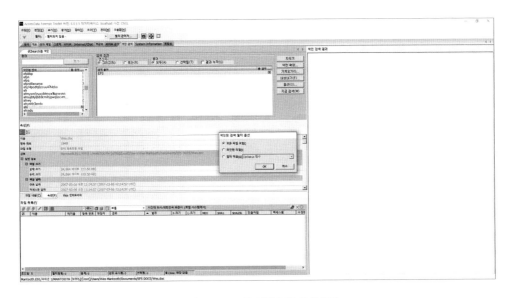

그림 8.27 모든 파일 포함 옵션 선택

이번에는 특정 파일만 북마크 하는 것이 아닌 검색 결과 전체를 북마크 하여 지정하는 방법을 살펴보도록 한다. 그림 8.26, 그림 8.27에서와 같이 "EFS"를 리스트에 추가한 후 모든 파일 포함 옵션을 선택한다.

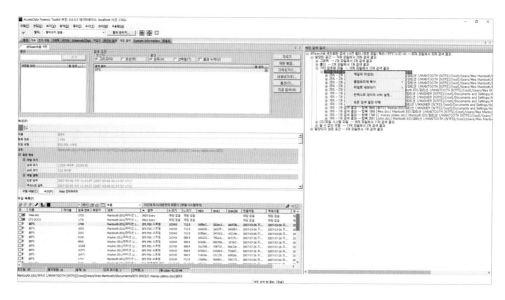

그림 8.28   색인 검색 결과 마우스 우클릭 메뉴

색인 검색 결과에서 북마크로 추가하고 싶은 부분을 마우스 우클릭을 하게 되면 그림 8.28에서처럼 추가 메뉴를 확인할 수 있다. 여기서 "책갈피 작성" 메뉴를 클릭한다.

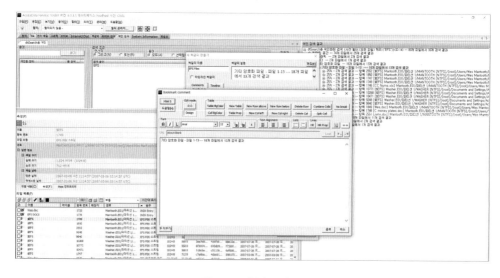

그림 8.29   북마크 메뉴창

"책갈피 작성" 메뉴를 클릭하면 다음 화면인 그림 8.29처럼 또 다른 창이 나타나며, 사용자가 선택한 결과의 메뉴가 맞는지를 확인한 후 "종료" 버튼을 누른다.

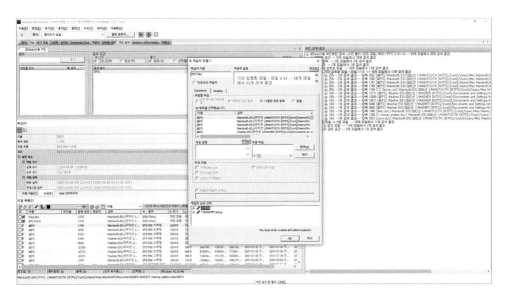

그림 8.30   추가된 북마크 화면

다음 단계로는 그림 8.30에서처럼 최종적으로 책갈피 이름 및 설명과 항목선택이 사용자가 정한 부분이 맞는지 다시 한 번 확인하고 "OK" 버튼을 누른다.

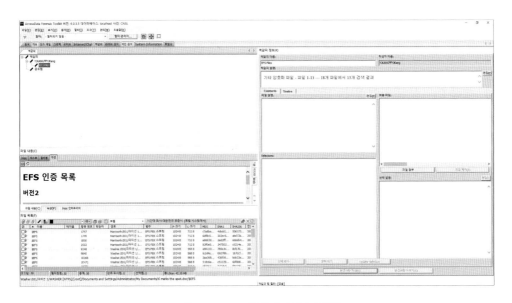

그림 8.31   FTK에 추가된 북마크 화면

그림 8.31에서와 같이 최종적으로 사용자가 정한 북마크가 FTK에 추가됨을 확인할 수 있다.

■ 추가정보 분석 – 이메일 정보

❶ 메일 정보를 분석하기 위해 아래 그림 8.32에서처럼 FTK에서 전자 메일 탭을 클릭한다.

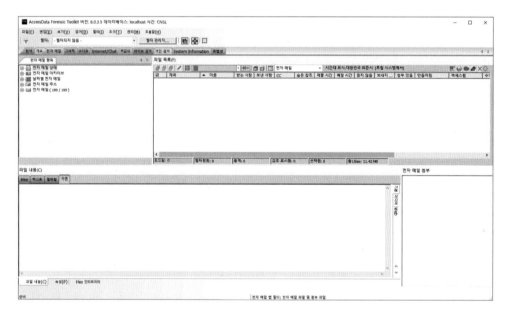

그림 8.32   전자 메일 탭

❷ 해당 이미징 파일에 있는 메일 리스트를 확인하기 위해 그림 8.33과 같이 전자 메일 왼쪽에 있는 "+" 아이콘을 클릭하여 상세 리스트 정보를 확인한다. 전자메일 정보에는 "AOL 전자 메일 아카이브", "Outlook Express DBX", "Outlook PST", "Webmail Files", "메시지", "약속", "연락처", "전자 메일 개체", "전자 메일 폴더", "참고", "태스크", "텍스트 인터넷 전자 메일"과 같이 분류되어 있음을 확인할 수 있다.

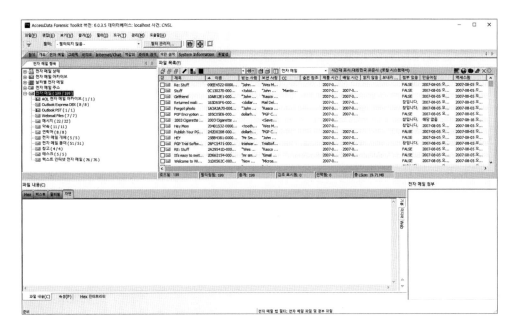

그림 8.33 전자 메일 리스트

③ 전자 메일 탭에서의 북마크

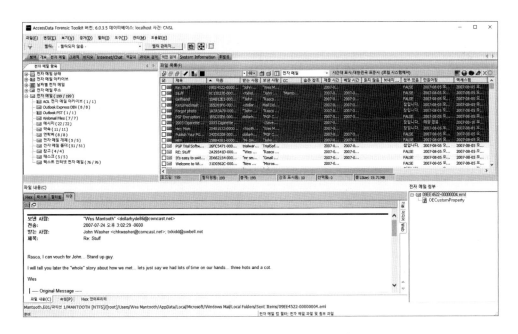

그림 8.34 북마크로 지정할 메일정보 선택

그림 8.34에서처럼 전자 메일에서도 사용자가 선택한 메일을 북마크로 지정할 수 있다. 중요한 정보의 메일이 있으면 해당 메일들을 선택하여 마우스 우클릭한 후 나타나는 메뉴 중 "책갈피 작성"을 선택하여 그림 8.35와 같은 화면을 볼 수 있다.

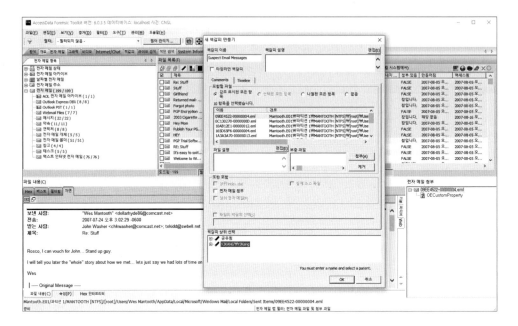

그림 8.35   북마크 정보 입력창

그림 8.35에서 북마크 정보를 입력 후 "OK" 버튼을 누르면 그림 8.36처럼 북마크 탭에 새로운 북마크가 추가됨을 확인할 수 있다.

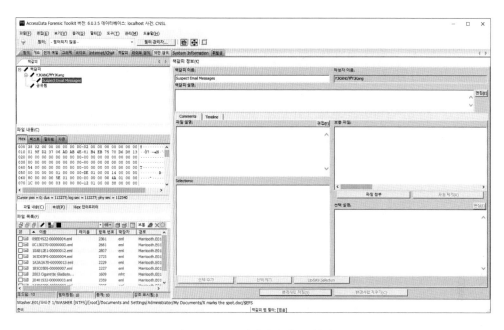

그림 8.36　FTK에 추가된 새로운 북마크

❹ 날짜별 전자 메일 분류

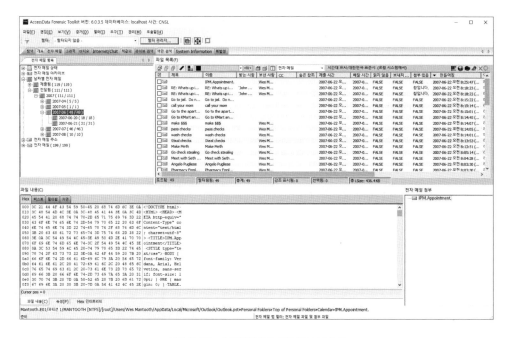

그림 8.37　날짜별 전자 메일 분류 리스트

이전에 중요한 메일을 찾았다면 해당 메일들을 선택하여 사용자가 지정한 메일을 북마크하는 방법을 알아봤었다. 이와 마찬가지로 이번에는 날짜별로 분류하여 사용자가 북마크를 하는 방법을 알아보도록 한다.

전자 메일을 날짜별로 분류하기 위해 먼저 전자 메일 항목에서 "날짜별 전자 메일"을 활용해야 한다. 여기에서도 마찬가지로 "+" 아이콘을 클릭하여 상세 정보를 확인한 그림이 그림 8.37이며, 현재 이미징 파일에서는 연도마다 월별로 분류되어 있음을 확인할 수 있다. 이전과 마찬가지로 분류하고 싶은 날짜를 선택하여 마우스 우측메뉴에서 "책갈피 작성"을 클릭한 화면이 그림 8.38이다.

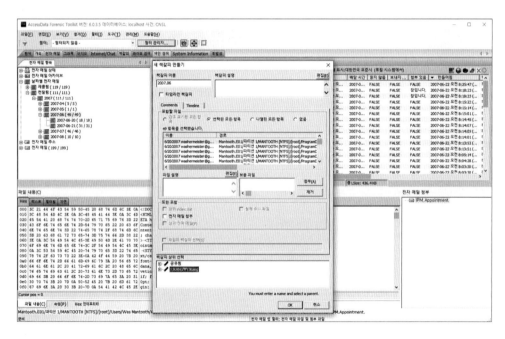

그림 8.38   날짜별 사용자 북마크 만들기

그림 8.38에서 해당 북마크에 대한 정보를 입력한 후 "OK" 버튼을 클릭하여 마무리한다.

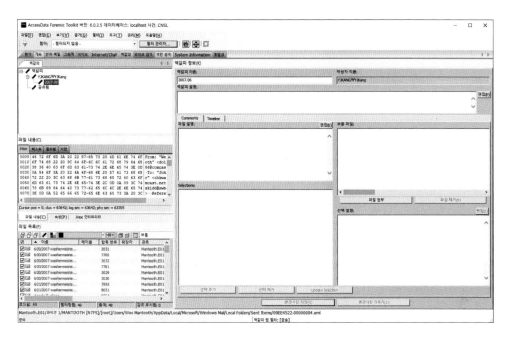

그림 8.39   FTK에 날짜별로 북마크를 적용한 화면

그림 8.39처럼 새로운 북마크가 FTK화면에 생성되었다면 사용자가 선택한 정보(날짜별)들이 포함되어 있는지 확인한다.

시나리오

사업을 운영하는 윤모씨는 자신의 개인정보가 유출된 것을 의심하고 직원의 행동인지 다른 경로에서 유출된 것인지 확인하기 위해 디지털 포렌식을 통해 사건의 전말을 조사하려고 한다. 이와 관련하여 폐기한 PC를 조사하다가 의심스러운 디스크를 확인하였으며, 이를 확인해본 결과 해당 PC 사용자는 직원 PC인 것으로 확인했다. 윤모씨는 직원의 PC에서 유출된 자신의 개인정보와 관련하여 흔적이 있는지에 대한 조사를 의뢰하였다.

Q1. 시나리오에서 개인정보가 유출된 문제가 직원이 중요한 파일이나 디스크 폐기를 잘못했다고 가정한다면 이에 대한 문제점이 무엇인지 설명하시오.

물리적으로 볼 때	
프로그램을 사용할 때	

Q2. Q1에서의 문제점을 해결할 수 있는 방법에 대해 설명하시오.

물리적으로 볼 때 해결법	
프로그램을 사용할 때 해결법	

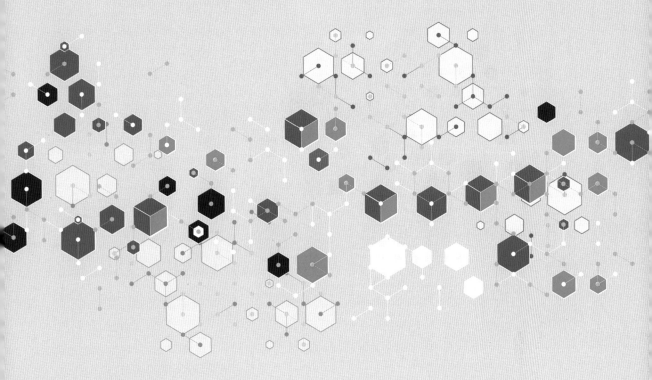

APPENDIX
HxD 다운 및 설치

❶ HxD는 "https://mh-nexus.de/en/hxd/" 사이트에서 무료로 다운로드 할 수 있다. 홈페이지에 접속하여 하단의 다운로드 가운데 자신이 사용하는 운영체제에 맞게 선택한다.

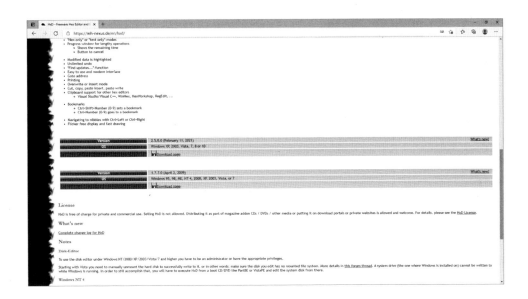

❷ HxD를 처음 실행하면 언어를 선택하게 된다. 적절한 언어를 선택하고 확인을 누른다.

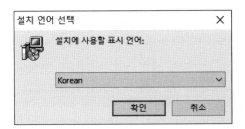

❸ '동의합니다' 클릭 후 다음 클릭

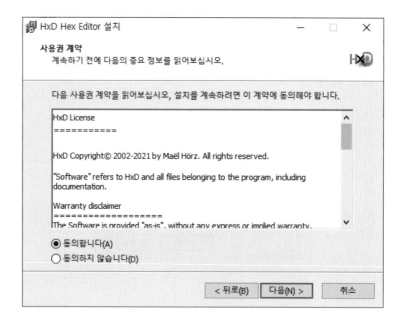

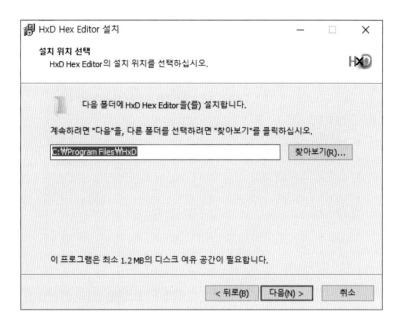

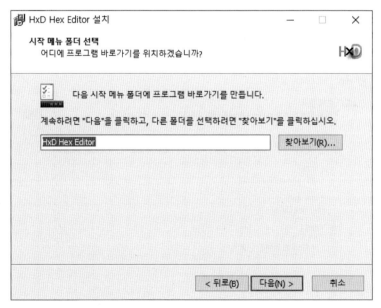

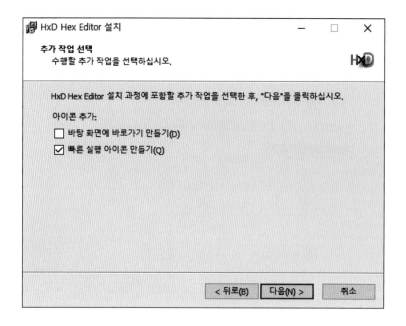

❹ "설치 클릭"

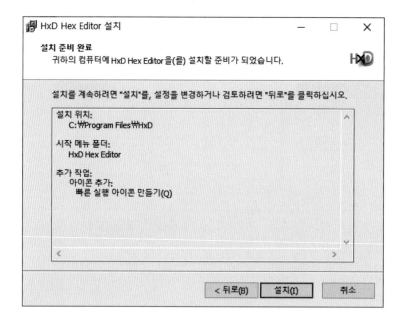

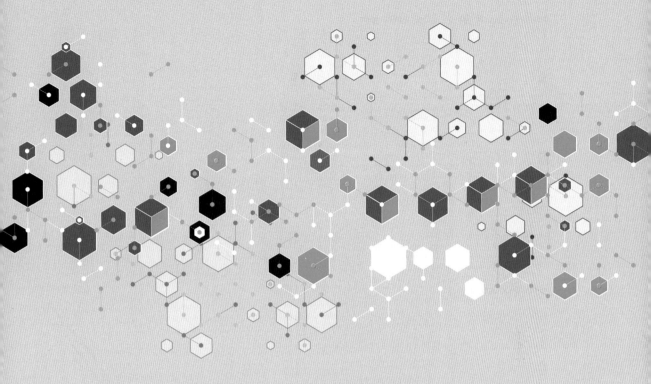

INDEX

FTK와 EnCase를 활용한
디지털 포렌식 실무